Du même auteur
Abdominaux : arrêtez le massacre !, Marabout, 2009.
Trouver sa position d'accouchement, Marabout, 2009
Retrouver la forme après bébé, Marabout, 2009
Bien-être et maternité, Albin Michel, 2009.
Enfance abusée : la mort dans l'âme, Robert Jauze, 2002.
Manger, éliminer. Non à la constipation de 0 à 97 ans, (Dir.) Robert Jauze, 2004.

Dr Bernadette de Gasquet

Ma gym,
avec une chaise
la méthode de Gasquet

MARABOUT

Sommaire

Première partie
Choix d'exercices pour chaque partie du corps

Seconde partie
Choix d'exercices pour les grandes fonctions du corps

Avant-propos

La chaise fait partie de notre quotidien depuis l'enfance jusqu'aux derniers jours.

Nous passons beaucoup de temps assis, que ce soit à la maison, au bureau, au restaurant, dans les salles d'attente...

Elle est un peu l'ennemi public numéro un car elle nous expose à la gravité, mais dans un faux confort très pernicieux. Debout, en mouvement, nous avons besoin des muscles antigravitaires et nous les activons, même involontairement. Assis, l'appui en arrière sur le dossier détend les muscles du dos, entraîne l'avachissement et ses conséquences : abdominaux distendus, ventre saillant, mauvaise respiration, mauvaise digestion, mauvaise circulation, tensions dans la nuque et le haut du dos... Nous sommes à la verticale sans le tonus de cette situation, nous sommes presque dans le tonus de la position horizontale mais sans les avantages de celle-ci pour contrecarrer la verticalité. C'est une demi-mesure qui additionne les inconvénients des deux autres positions.

Mais il est possible de « prendre une revanche » et de faire de la chaise un outil de travail non seulement dans le cadre professionnel mais aussi pour notre mieux être, notre musculation, nos étirements, notre relaxation sans avachissement.

Il faut pour cela un peu d'imagination... Demandons à nos jeunes enfants, ils savent souvent détourner les accessoires les plus simples pour des utilisations inattendues ! Ils feraient peut être de cette chaise un vaisseau spatial, un cheval...

Je vous propose ici d'en faire un « studio de gym » toujours accessible, même discrètement dans un bureau ou un lieu public. Invitez votre famille ou vos amis à découvrir le nouveau matériel permettant de faire plus de choses

variées que tous les « engins » de musculation réunis !
Mettez de la musique dans votre salon et jouez le coach !
On peut « travailler » physiquement sur une chaise, ce qui
est encore dans un registre d'effort, mais on peut aussi
trouver des exercices ludiques et la possibilité de variantes est infinie, ce qui rend plus stimulant et plus créatif
le training. On peut faire des concours d'imagination au
sein du groupe.
Si vous trouvez des idées originales, vous pouvez nous
les faire partager pour augmenter les propositions et
composer des séances selon les saisons, les priorités du
moment, par programmes progressifs sur trois mois, etc.

Nous espérons ainsi que vous ne voyiez plus vos chaises
de la même façon et que vous en fassiez un allié pour
votre santé et votre bien-être. Et si vous pouvez lui faire
quelques infidélités – en lui préférant un ballon pour certaines propositions – elle restera l'accessoire le plus per-
manent de votre vie.

Bonne pratique et bon amusement !

introduction

1

principes, conseils, pratique

Voici, avant de commencer votre séance de gymnastique, le rappel de quelques principes importants suivis de quelques conseils sur l'art et la manière de bien s'asseoir.

Rappel de quelques principes

Les exercices qui vous seront proposés ici respectent les principes de la méthode A.P.O.R.B. de Gasquet© (approche posturo-respiratoire) qui ont déjà été présentés dans nos précédents ouvrages. Dans cette approche, *la posture et la respiration sont indissociables, la posture détermine la respiration* et on peut savoir si la posture est correcte en se repérant à la respiration. En voici un bref rappel.

Travailler toujours en étirement, sans cambrure ni tassement

Toutes les postures doivent se faire en maintenant l'allongement de la colonne vertébrale. Ceci signifie que la distance entre le bassin (coccyx) et le sommet de la tête est toujours maximum, que l'on soit dos plat, dos creux, dos rond, en torsion, assis, debout, couché ou à l'envers.

Dans ces conditions, la distance entre chaque vertèbre est maximum dans toutes les directions, le disque intervertébral n'est jamais comprimé sur aucune de ses faces.

Autrement dit, ce n'est pas parce qu'on étire un côté de la colonne qu'il faut raccourcir l'autre, que ce soit dans le dos creux, le dos rond ou l'inflexion à droite ou à gauche.

La cambrure est aussi mauvaise que le tassement, ce n'est pas parce que « le dos est rond que c'est bon » et parce qu'il est creux que c'est mauvais ! C'est comme si on disait que si on se penche vers la gauche c'est mauvais et que vers la droite c'est bon. Cela nous paraîtrait étrange.

Comment savoir si on est étiré ? Ce qui nous dit que la posture est un étirement c'est *la respiration qui devient physiologique* et non « paradoxale », c'est-à-dire à l'envers.

La respiration physiologique

Normalement l'air entre parce que le diaphragme descend comme un piston et attire l'air dans les poumons.Il ressort parce que le diaphragme remonte et repousse l'air vers la sortie. C'est ce qu'il se passe chez les animaux et les bébés, et aussi dans le sommeil.

Regardez respirer le chien ou le chat. Le ventre se détend légèrement quand l'air entre dans les poumons et les narines s'ouvrent. Le ventre rentre à l'expiration. Il ne s'agit pas de respiration volontaire mais d'un mouvement naturel, beaucoup plus facile à l'horizontale qu'à la verticale, car il n'y a pas à refouler le diaphragme contre la pesanteur.

Si le ventre bouge dans sa partie inférieure, qu'il se détend à l'inspiration et se rentre à l'expiration, naturellement, sans forcer pour inspirer et « gonfler le ventre », c'est que la posture est juste. Si la respiration reste haute, dans la poitrine, c'est que le diaphragme est coincé et ne peut ni monter ni descendre. Il faut alors chercher l'erreur dans la posture : est-on cambré ou tassé ? Dans quel sens faut-il corriger ? En enlevant le creux dans les reins (rétroversion du bassin) ou la bosse du haut du dos ? Regardez alors ce qui éloigne le plus le bassin des épaules et vous saurez dans quel sens il faut aller ! En général dans le sens qui demande un effort, en particulier un effort contre la pesanteur, ce qui oblige les muscles du dos comme les muscles abdominaux à travailler pour nous maintenir en position verticale. Ceci constitue un gainage, très important pour renforcer harmonieusement les muscles dorsaux et abdominaux.

Limiter les hyperpressions abdominales

La notion de pression

Une représentation schématique et mécanique du corps pourrait être celle de trois enceintes de pression (boîtes) et quatre membres.

La boîte à penser, ou boîte crânienne, est la plus rigide des trois. Elle est très ossifiée et très peu déformable, car le cerveau doit être protégé des chocs et compressions.

Dans cette enceinte, le volume ne peut et ne doit guère varier, les pressions ne doivent pas s'élever trop non plus.

La boîte à respirer est la seconde enceinte. Ses parois (colonne dorsale, côtes, sternum) sont aussi très ossifiées, mais il existe une mobilité dans le gril costal qui permet le mouvement respiratoire thoracique.

Les viscères de cette enceinte, les poumons et le cœur ont une mobilité, des variations de volume et de pression, mais ils ne bougent pas dans l'espace, ils sont amarrés. Les poumons sont solidaires des côtes et du sternum.

La boîte à digérer et à faire les bébés : c'est le lieu de la mobilité. Cette enceinte est presque entièrement « élastique ». Les seules structures osseuses sont la colonne vertébrale en arrière et le bassin.

Les parois sont constituées de muscles : diaphragme au-dessus, abdominaux (et muscles du dos) autour, plancher pelvien en dessous. Cette élasticité même permet la mobilité, l'adaptation des volumes et des pressions. Mais c'est aussi un facteur de fragilité... Tout bouge dans cet espace, en permanence.

Les volumes sont variables

L'estomac se remplit et se vide, la vessie se remplit et se vide, le rectum aussi, les intestins font en permanence progresser leur contenu par des contractions...

L'utérus n'est pas fixé de façon rigide, il est entre la vessie et le rectum qui se remplissent et se vident. Il peut changer considérablement de volume pour contenir un, deux, trois bébés (voire plus).

En cas de pathologie, le foie, la rate peuvent augmenter de volume. Toutes les tumeurs abdominales feront « grossir le ventre ».

Les pressions sont variables

En fonction des dimensions de la boîte, la pression varie. Si le volume diminue, la pression augmente.

On peut rechercher cette augmentation de pression pour faire sortir quelque chose de cette enceinte : vomissement, défécation, accouchement.

La descente du diaphragme, si elle s'accompagne d'une contraction des abdominaux, augmente la pression intra-abdominale.

Les viscères sont mobiles

Ils sont suspendus, tenus par des ligaments plus ou moins lâches (le ligament large, par exemple, qui soutient latéralement l'utérus et les ovaires n'a rien de comparable aux ligaments du genou !). Ces ligaments doivent eux-mêmes pouvoir s'adapter, par exemple pendant la grossesse, puisque l'utérus va changer de taille, se redresser, se dévier vers la droite et se développer vers le haut. Il faut bien que les ligaments suivent !

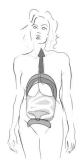 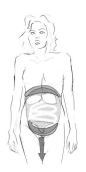

Expiration : le diaphragme remonte et attire tous les organes vers le haut, la taille se galbe, le périnée est remonté.

Inspiration : le diaphragme descend et pousse tous les organes vers le bas. La taille s'élargit, le périnée tombe.

Les intestins, l'estomac vont être refoulés par l'utérus gravide, la vessie va être comprimée.

Les reins parcourent douze kilomètres par jour en suivant le mouvement du diaphragme !

En réalité, tous les viscères sont « suspendus », en liaison les uns par rapport aux autres. Finalement, le contenu abdominal est comme suspendu au diaphragme : quand celui-ci descend, tout descend, quand il remonte, tout remonte !

Les parois sont déformables

Au quotidien, lors de la respiration, il existe un double mouvement : de haut en bas et tout autour.

À l'inspiration, le diaphragme descend et repousse vers le bas tous les viscères. Le plancher pelvien, c'est-à-dire l'ensemble des muscles qui ferment en bas l'enceinte de pression, suit le même mouvement et « bombe ». Il y a donc une diminution de la hauteur de la boîte légèrement amortie par la descente du plancher pelvien.

Mais les abdominaux sont élastiques et la résultante va s'exercer vers le bas et *vers l'avant*. Les abdominaux vont donc s'étirer, le ventre va « gonfler » modérément, se détendre. L'augmentation de circonférence de la boîte en avant va compenser la réduction de hauteur.

À l'expiration, c'est l'inverse, les abdominaux se « retendent », reviennent à leur état de repos et le diaphragme remonte, le périnée est aussi remonté. La hauteur augmente, la circonférence diminue.

Si la respiration est tranquille, sans effort, *il y a très peu de variation de pression.*

Si les efforts sont faits poumons pleins, diaphragme bloqué en bas, la contraction des abdominaux pour réaliser l'effort va faire brutalement aug-

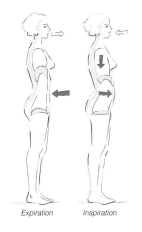

Expiration   Inspiration

*Expiration normale :
le ventre rentre, le
diaphragme remonte
librement, le périnée
allégé est attiré vers
le haut.*

*Inspiration forcée :
le ventre sort, le
diaphragme pousse
vers le bas, le périnée
bombe sous la pres-
sion. Tous les viscères
vont vers le bas.*

menter la pression. Mais le diaphragme étant poussé vers le bas, on va réaliser une poussée vers le bas, vers le périnée.

Il a été par ailleurs démontré que les efforts poumons pleins augmentaient aussi les pressions sur les disques intervertébraux. Tous les arts martiaux, toutes les disciplines corporelles traditionnelles exécutent les efforts sur l'expiration, un cri qui part des tripes, du bas du ventre : « ho-hisse » du marin, « hang » du bûcheron, cri de l'haltérophile ou des joueurs de tennis, « cri qui tue » du karatéka.

Cela revient à faire les efforts sur le temps expiratoire. En effet, pour limiter les effets de la pesanteur et ne pas passer notre temps à pousser sur le bas du ventre et le périnée, tous les efforts devraient se faire sur une remontée du diaphragme, qui correspond physiologiquement à une expiration.

Expirer, c'est « grandir, mincir » et non s'effondrer. Il y a souvent des erreurs car notre schéma habituel, celui de la gymnastique, est d'inspirer en levant les bras et en gonflant la poitrine (ce qui rentre le ventre) et d'expirer en redescendant les bras et la poitrine (ce qui sort le ventre). C'est exactement à l'envers de la physiologie de la respiration.

Certaines positions seront plus favorables à la découverte de la respiration physiologique, en particulier la posture de relaxation, les jambes sur le siège de la chaise, les fesses légèrement en dessous : ni cambrée, ni tassée, sans effort.

Les erreurs à éviter

Commencer par inspirer. Vous n'avez alors le choix qu'entre deux erreurs.

• *Pousser sur le ventre pour le gonfler* (consigne : inspirez , gonflez le ventre) ce qui n'est ni physiologique ni bénéfique, car vous poussez le diaphragme vers le bas et donc tous les viscères vers le bas, ainsi que le périnée. Il y a alors un étirement des abdominaux du bas du ventre et une poussée sur le périnée, particulièrement vers l'avant qui est la partie la plus vulnérable.

• *Inspirer dans la poitrine,* c'est-à-dire à l'envers, et il y aura alors une poussée, lors de la redescente du thorax, qui fait sortir le ventre et ne réalise pas une bonne ventilation.

Il y a toujours de l'air dans les poumons depuis que ceux-ci se sont déployés à la naissance. Si vous commencez par expirer, inutile de faire un effort volontaire pour inspirer, cela se fera tout seul, par le travail naturel du diaphragme. Personne ne reste vide !

Il faut donc commencer par expirer mais il y a encore des erreurs dans les consignes :

Première erreur : *expirez, rentrez le nombril :* c'est beaucoup trop haut, ça plie en deux au niveau de la taille et ça pousse dans la partie inférieure de l'abdomen.

Deuxième erreur : inspirez, cambrez, expirez, décambrez en pliant la colonne vertébrale tantôt dans un sens, tantôt dans l'autre sans l'étirer, ce qui augmente la pression dans la partie abdominale.

En réalité expirer c'est «grandir mincir». C'est un mouvement qui doit partir du plus bas et remonter tous les viscères, les plaquer contre la colonne et pousser la tête au plus haut.

Troisième principe : intégrer le périnée à la respiration

Le tube de dentifrice

Si vous pressez concentriquement un tube de dentifrice dans vos mains, il va y avoir du dentifrice qui va sortir si le tube est ouvert, mais il y aura aussi une poussée de pâte vers le bas. Si vous ne voulez pas gâcher du dentifrice, il faut rouler votre tube du bas vers le haut !

On ressent très bien cet effet de poussée vers le bas quand on éternue. Ça part vers le haut (le diaphragme remonte violemment), mais il y a une résultante vers le bas, particulièrement ressentie par la femme enceinte, ou après

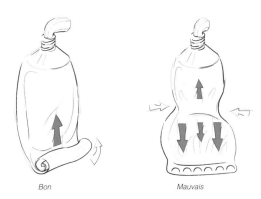

Bon   Mauvais

l'accouchement, surtout s'il y a des points de suture sur le périnée...

À l'horizontale, cette résultante est évidemment plus faible.

Il faudra donc éviter de rajouter à la pression atmosphérique, que l'on ne peut éviter dans la verticalité, une pression, due aux abdominaux, qui ne soit pas compensée par l'expiration.

Il faudrait que le mouvement vers le haut parte non pas du bas du ventre mais du niveau le plus bas, du périnée, afin de diriger totalement la poussée vers le haut. Il est intéressant de s'entraîner à associer le périnée lors des respirations volontaires. À la verticale, il faut le faire exprès, ça ne se fera pas tout seul.

Comment contracter le périnée

La consigne la plus simple pour s'entraîner est d'imaginer qu'on retient un gaz, une envie d'aller à la selle ou une envie d'uriner. Ce n'est pas un geste compliqué, tout le monde a eu l'occasion de vivre cette expérience...

Essayez en position assise, ni cambrée, ni tassée, en aménageant éventuellement votre siège (petit banc sous les pieds si vous êtes petit ou moyen), sans vous appuyer sur le dossier.

Dans cette position, les cuisses ont moins tendance à participer et les fessiers sont mis « hors jeu ». Il ne reste plus qu'à contrôler la contraction abdominale en posant vos mains sur le bas du ventre. Le mouvement spontané entraîne un rentré du ventre ; il faut se concentrer pour dissocier et ne pas chercher une trop grande amplitude. En fait, cette remontée de l'anus reste un mouvement assez modeste. On ressent souvent mieux la redescente à la détente (attention ne poussez jamais vers le bas !)

Pour respirer correctement, il faudrait :
– avoir une posture étirée, ni cambrée, ni tassée ;
– ne jamais inspirer volontairement mais commencer par expirer, puis laisser l'air rentrer tout seul, sans action volontaire pour inspirer, juste la détente du ventre et l'ouverture des narines ou de la bouche ;
– commencer par une contraction isolée du périnée lors des expirations volontaires, suivie par la contraction des abdominaux les plus bas, et ne jamais utiliser les abdominaux qui poussent vers le bas (grands obliques, grands droits) ou serrent le haut du ventre ;
– ne pas freiner l'air lors de l'expiration, ne pas pousser pour expirer mais « laisser couler » l'air, soit par les narines soit par la bouche, lèvres entrouvertes sans aucune résistance ;
– relâcher périnée et ventre, et laisser l'inspiration s'établir passivement, en ouvrant les narines si possible, ou la bouche si on a du mal à respirer par le nez.

Dans votre vie quotidienne : aménagez votre siège

Un constat accablant

La plupart des sièges sont mal conçus. Les dossiers sont en général inclinés vers l'arrière, ce qui ne permet pas de s'appuyer sans être avachi et tassé. Les sièges sont fixes et de hauteur imposée mais les utilisateurs n'ont pas tous la même taille. Résultat : les petits ou moyens ont du mal à avoir les pieds par terre ; ils sont sur la pointe des pieds et ne peuvent trouver une position d'étirement. En arrière, ils sont tassés (1), en avant, ils sont cambrés (2) ! Les grands se trouvent trop haut pour les tables et bureaux et se tassent pour écrire ou manger.

Regardez les enfants qui ne cessent de gigoter sur les chaises d'adulte car leur dos n'est pas tenu. Ils sont comme un adulte assis les jambes pendantes au bord d'une table. Essayez et vous comprendrez que vous ne pouvez pas tenir votre dos et que le sang s'accumule dans le bas des jambes. C'est très inconfortable.

Quant aux adolescents, de plus en plus grands, ils sont souvent complètement effondrés dans leur siège, avec un relâchement complet des muscles du dos. Ils se plaignent souvent du dos, alors qu'ils sont jeunes, bien nourris, pas « carencés », qu'ils ne vont pas à la mine ou travailler la terre avant la fin de leur croissance, qu'ils sont éventuellement sportifs. C'est un peu un comble et on se demande souvent ce que ça donnera avec le temps.

En fait, notre faux confort, nos canapés trop profonds n'arrangent rien. Nous avons en permanence la posture des plus vieux patients des maisons de retraite qui glissent dans leur fauteuil au point qu'on est parfois obligé de les attacher au dossier avec un drap !

1

avachie

2

Dans ces positions rien ne peut fonctionner : la respiration est limitée à un petit mouvement de montée et de descente du haut du sternum, la digestion est mauvaise car l'estomac et les intestins sont comprimés. Cela ne bouge pas dans le ventre, il n'y a aucun massage, aucune circulation, les abdominaux sont distendus. Il y a risque accru de constipation, la circulation est mauvaise, tout le sang est dans le bas des jambes, le diaphragme ne « pompe » pas pour faire remonter le sang, le dos est tassé, les disques intervertébraux comprimés, les muscles relâchés, la circulation diminuée. Il y a aggravation des tassements vertébraux.

Bref, c'est la pire des postures !

Les tentatives de compensation

Observez les tentatives de compensation. Les femmes ont tendance à croiser les jambes. Inconsciemment elles rétablissent un angle inférieur à quatre-vingt-dix degrés entre la cuisse supérieure et la colonne vertébrale, ce qui permet de se redresser sans se cambrer. Aucun intérêt si c'est pour rester appuyée sur le dossier, avachie. Mais si on veut se redresser, c'est beaucoup moins fatigant pour le dos.

Dommage, ce n'est pas bon pour la circulation et c'est asymétrique au niveau des hanches ! C'est donc une solution peu adaptée.

Les hommes, si la réunion est peu protocolaire, sont souvent penchés en avant, coudes sur les genoux, ce qui n'est pas une cambrure mais un étirement. C'est une bonne position pour le dos mais elle se rapproche plus d'un quatre pattes que d'une position assise !

Une bonne posture assise

Le dos doit être allongé sans tension, la respiration libre abdominale. C'est ce que réalise le siège à l'égyptienne, dossier droit, siège pas trop large pour qu'on puisse s'appuyer sur le dossier sans coincer les mollets, cuisses à quatre-vingt-dix degrés du tronc.

Aucune chaise chez nous ne correspond à cette assise, encore moins les canapés. À l'exception des chaises adaptables en bois avec des tablettes réglables pour les pieds (un peu monacales!).

Comment aménager ?

Si vous êtes grand(e), venez en avant et posez éventuellement les coudes sur la table ! Si vous êtes « trop petit(e) » pour la chaise, placez un petit banc (1) ou des annuaires sous les pieds, ramenez le tronc en avant et *oubliez surtout définitivement les dossiers.*

Si vous êtes affaibli, âgé, femme allaitante, placez un coussin entre le haut du dos et le dossier (et surtout pas dans le bas du dos), et un autre sur les genoux pour soutenir votre buste (2), ou seulement un coussin assez haut placé sur les genoux et appuyez-vous « au balcon », c'est-à-dire le coussin juste sous la poitrine, de façon à vous laisser porter en avant et non en arrière, sans effort pour vous retenir, mais sans vous effondrer dos rond. Pour vous reposer, mettez assez de coussins pour mettre vos épaules et votre tête en détente (3).

Dans ces positions aménagées, observez votre respiration, vous saurez si votre dos est allongé. Observez aussi le bien-être d'une position d'étirement soutenu.

Comment s'étirer au bureau ?

Vous pouvez vous pencher en avant à partir des hanches, dos droit, et poser les coudes sur la table (1).

Si vous êtes petit(e) utilisez le repose-pieds (voir page ci-contre).

Si vous sentez une tension dans le haut du dos, reculez votre chaise et posez vos avant-bras sur la table. Posez votre front sur vos mains, dos le plus plat possible (2).

Il est impossible de cambrer dans cette position, puisque l'angle entre votre cuisse et votre colonne est inférieur à quatre-vingt-dix degrés.

Il faut bien tirer le bassin vers l'arrière et surtout ne pas arrondir le dos.

Respirez quelques minutes dans cette position. Vous pourrez ensuite faire quelques postures dos rond (voir « Le haut du dos, la nuque, les épaules » p. 27).

Vous pouvez alterner des dos «ronds» (1) et des dos «creux» (2) pour éviter les tensions entre les omoplates.
Il faut toujours éloigner les épaules du bassin, le ventre doit rentrer, la poitrine remonter !

Une variante intéressante surtout pour de longues stations devant l'ordinateur est l'utilisation d'un ballon (65 cm de diamètre en général) (3).
La mobilité du bassin, la position en avant, le massage du périnée sont des éléments qui changent complètement la station assise et permettent de passer des heures à écrire sans tension dans le dos.
Plus discret est le ballon plat «galette», qui bouge comme un ballon mais peut se poser sur la chaise (4). Comme le siège se trouve rehaussé il faudra le repose-pieds.

Le programme

Le programme de gymnastique avec une chaise intéresse l'ensemble du corps, à la fois les muscles et les grandes fonctions vitales : respiration, digestion, circulation.

Il permet de corriger la posture au quotidien, car nous sommes très souvent assis (en général sur des sièges mal conçus), mais aussi de réaliser un véritable studio de gymnastique pour des étirements-assouplissements, des renforcements musculaires, de la relaxation.

Les propositions sont regroupées par thèmes avec un grand choix de variantes.

À vous de mixer en fonction de vos besoins, de votre morphologie.

Dans chaque chapitre des adaptations athlétiques sont proposées. Une partie est consacrée aux grandes fonctions vitales, telles que la respiration, la circulation, la digestion, la relaxation. Quelques exercices sont déclinés à deux et un chapitre propose des exercices « imaginaires, sans mouvements physiques et très discrets.»

Certains exercices peuvent se pratiquer au bureau, dans les transports, à partir des postures assises, discrètement, en particulier le travail imaginaire. N'oubliez pas la respiration et terminez par de la relaxation.

À partir de ces propositions vous pourrez utiliser votre imagination pour trouver des variantes et inventer des postures.

Bonne pratique avec cet accessoire si quotidien qui peut nous être si néfaste ou si «porteur» selon son utilisation.

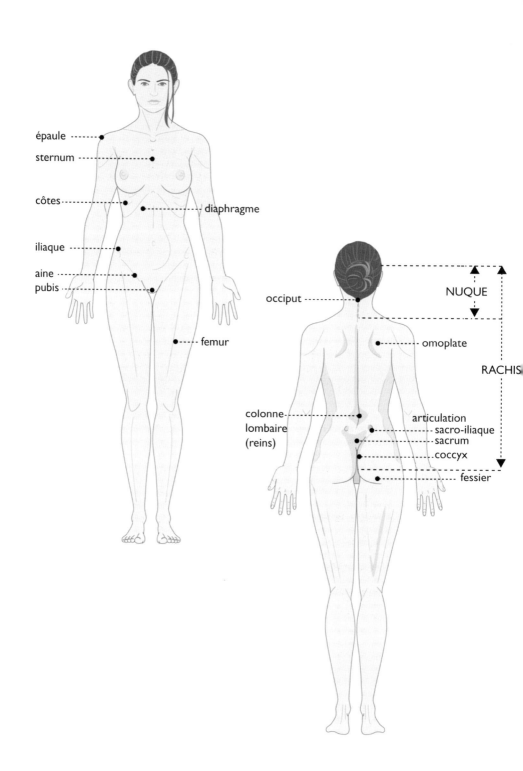

épaule
sternum
côtes
diaphragme
iliaque
aine
pubis
femur

occiput
NUQUE
omoplate
RACHIS
colonne lombaire (reins)
articulation
sacro-iliaque
sacrum
coccyx
fessier

première partie

choix d'exercices pour chaque partie du corps

À travers ces exercices, vous allez pouvoir faire travailler plus spécifiquement les muscles de chacune des parties de votre corps. Mais le travail reste toujours global et associe toujours le grandissement, la respiration, le périnée.

Le haut du dos, la nuque, les épaules

Le haut du dos est siège de beaucoup de tensions. En général, la pesanteur pousse vos épaules vers l'avant et entraîne une aggravation du dos rond. Nous allons voir divers exercices pour mobiliser dans tous les sens et redonner une bonne souplesse à cette partie du corps, en même temps qu'une tonification des muscles du dos qui doivent sans cesse lutter contre la pesanteur pour nous redresser.

Lutte contre le tassement par l'autograndissement

En position assise

Dos plat

L'autograndissement entraîne l'allongement de la distance coccyx-sommet de la tête avec une augmentation des espaces inter-vertébraux et l'étirement des muscles du dos comme du devant.

Assis au bord du siège, pousser les ischions (os du bassin sur lesquels nous sommes assis) dans le siège, et *en même temps,* pousser le sommet de la tête vers le plafond.

Faire les deux en même temps et non se tasser ou se cambrer en poussant tantôt sur les fesses, tantôt sur la tête.

Vous devez sentir le dos se rigidifier, devenir très solide, et sentir vos abdominaux du bas du ventre se durcir.

Grandissez-vous le plus possible, comme si vous étiez sous une toise que vous repoussez avec le sommet de la tête, en continuant à pousser les ischions dans le siège.

Mobilisation du haut du dos

Dos creux

Faites cet exercice régulièrement pour lutter contre la cyphose dorsale (bosse du haut du dos).
Asseyez-vous sur le bord du siège.
Appuyez toujours les ischions sur la chaise.
Placez les mains derrière vos fesses et avancez légèrement le tronc.
Redressez-vous en creusant le haut du dos et non les reins.

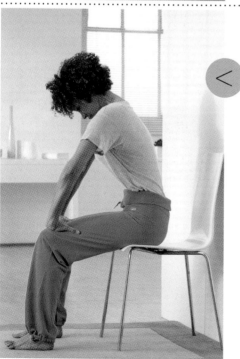

Dos rond

- Asseyez-vous sur le bord du siège.
- Penchez-vous en avant.
- Posez les mains sur les genoux, doigts vers le corps.
- Arrondissez légèrement le bas du dos et repoussez-vous vers le plafond, nuque détendue, coudes vers l'avant.

L'aigle

• Le bas du dos légèrement arrondi, croisez les bras et attrapez vos épaules avec le dos de vos mains.
• Poussez bien les ischions dans le siège.
• Levez les épaules, les coudes vers le haut, repoussez l'arrière du cou vers le plafond, le regard vers le sol.
(La posture évoque l'aigle qui guette sa proie.)

Penché en avant

Dos creux

• Placez les mains de chaque côté des fesses.
• Penchez-vous en avant.
• Fléchissez les coudes et rapprochez-les pour creuser le haut du dos.
(La cambrure est impossible ici.)

Tonification du dos

La flèche

En position assise, penchez-vous en avant, ventre sur les cuisses.
Allongez les bras le long des oreilles, nuque droite et redressez-les le plus possible en dessinant une flèche du bassin au bout des mains.
(Cet exercice est très puissant pour muscler en étirant.)

L'oiseau

- En position assise sur le bord de la chaise, écartez les bras en croix.
- Ventre sur les cuisses, soulevez les poignets le plus haut possible sans rapprocher vos omoplates l'une de lautre.
- Gardez le cou bien aligné au dos pour protéger votre nuque.
- Descendez les épaules.

Le chandelier

- Prenez la même position de départ que l'oiseau, assise et les bras en croix.
- Ramenez les avant-bras perpendiculaires aux bras, mains face à face (1).
- Vous pouvez effectuer une torsion pour travailler plus intensément les muscles du dos (2, 3) et les abdominaux obliques.

Assouplissement des épaules

Ces exercices ne sont pas conseillés si vous avez les épaules fragiles.

1

2

L'anse du panier

- Asseyez-vous sur le bord du siège.
- Le ventre sur les cuisses, croisez les doigts dans le dos (1).
- Ramenez les bras vers l'avant progressivement, sans forcer, en expirant (2).

La « tête de vache »

- Toujours ventre contre cuisses, un bras vers le haut, l'autre vers le bas, essayez de joindre les mains et de mettre le bras supérieur derrière la tête.
- C'est la tête qui pousse le bras et non l'inverse.

Relaxation des épaules
et de la nuque

• Assis sur le bord de la chaise, laissez tomber le corps en avant et tirez les aisselles au-dessus des genoux, comme pour vous suspendre sous les bras et lâchez la nuque.

Assis devant la chaise

- Plaquez le haut du dos contre le bord de la chaise pour redresser la cyphose dorsale (1).
- Aggripez les pieds arrière de la chaise, ou le dossier (2).
- (Si vous rajoutez un ballon souple sur le siège, vous pouvez le comprimer pour faire descendre les épaules (3).
- Appuyez fortement sur les ischions.
- Expirez dans les efforts pour tonifier dos et abdominaux en même temps.

À genoux devant la chaise

Dos creux

- Posez les coudes et le front sur la chaise.
- Reculez les genoux et le bassin pour être dans une posture à « quatre pattes », fesses en arrière des genoux pour ne pas cambrer.
- Creusez le haut du dos en poussant sur les coudes.

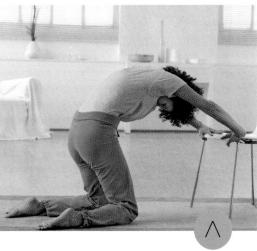

Dos rond

- Dans la même position à « quatre pattes », posez les mains sur le siège.
- Repoussez-vous vers le plafond, dos rond.
- Ramenez le bassin vers l'avant par la contraction du périnée.

Postures couchées

La détente

- Allongez-vous sur le dos.
- Placez les jambes sur la chaise et les fesses légèrement en-dessous.
- Pour étirer la nuque, mettez un petit oreiller sous l'occiput ou vos mains l'une dans l'autre.
- Respirez et savourez la détente totale.

Dos creux : la grenouille

- Joignez vos mains au-dessus de la tête.
- Laissez descendre vos coudes vers le sol sans forcer et sans ouvrir vos mains.
- L'exercice pourrait se faire en ouvrant les cuisses, pieds joints posés sur le tranchant du siège. (Voir la position de la grenouille sur le dos p. 108)

Le poisson

- Les coudes près du corps, épaules basses, appuyez fortement les coudes dans le sol pour décoller le haut du dos.
- Appuyez sur les temps expiratoires et inspiratoires.

Dos rond

- Tendez les bras vers le plafond, mains dos à dos et poussez les épaules vers le haut (1).
- Toujours dans la même position placez les mains contre les genoux, doigts dirigés vers le sol (2).
- En expirant, appuyez tout le dos sur le sol, jusqu'à la nuque.
- Rentrez bien le menton pour allonger la nuque.
- Rapprochez les coudes l'un de l'autre en remontant les épaules.
- (Outre la détente et l'étirement du dos, il y a un puissant travail des abdominaux.)

Postures à effets multiples : les torsions

Les torsions sont des postures qui jouent sur plusieurs plans. Nous les retrouverons dans les chapitres suivants sur le travail des abdominaux, du bassin, du transit. Nous les conseillons pour le haut du dos afin de travailler la détente des épaules.

En position assise

Bras levés

- Le ventre sur les cuisses, passez l'épaule opposée à l'extérieur d'un genou.
- Levez l'autre bras vers le plafond sans tirer dessus (1).
- En expirant, faites tourner le haut du buste et la tête, nuque étirée (2).
- Faites l'autre côté.
- L'avant bras posé sur les genoux, levez l'autre bras et faites tourner le buste (3).

Bras sur le dossier de la chaise

- Assis perpendiculairement sur la chaise, posez les mains sur le dossier.
- Gardez le bassin de face.
- Cherchez à amener le buste parallèlement au dossier. (1)
- Assis de face, placez un avant bras sur le dossier.
- Posez le dos de l'autre main contre le bord externe du genou opposé à celle-ci.
- Cherchez à amener les épaules à quatre-vingt dix degrés du bassin, en expirant et en vous grandissant. (2)
- Enlevez les mains sans rien bouger pour faire travailler vos abdominaux.
- Revenez à la position initiale. (3)

Debout

- Posez la chaise contre un mur.
- Bloquez votre bassin en mettant un pied sur la chaise, la jambe contre le dossier.
- Essayez de mettre le buste parallèle au mur, les avant-bras contre le mur, épaules basses.

(Le regard est toujours vers le dos dans les torsions.)

Couché

- Placez une jambe genou fléchi sous la chaise, l'autre sur le siège, les bras en croix.
- Étirez votre nuque, en regardant à l'opposé du genou supérieur (1).
- Faites tourner le bassin en poussant le genou supérieur en avant sans laisser les épaules se soulever (2).

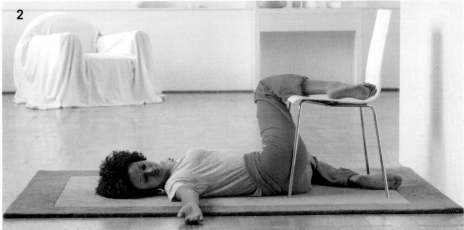

Contre le torticolis

Le demi-pont

- Placez le dossier de la chaise contre le mur.
- Couchez-vous sur le dos et placez vos pieds sur le bord du siège.
- Fléchissez les genoux, cuisses à moins de quatre-vingt-dix degrés du ventre pour ne pas risquer la cambrure (1).
- Soulevez le bassin le plus haut possible en appuyant bien sur les bras (2).

- Maintenez la position et essayez de joindre les mains en dessous du dos (3).
- Pensez à bien dégager la nuque.
- Veillez à monter progressivement et rester un moment pour que la contracture cesse.
- Redescendez doucement, les pieds toujours sur le siège, en déroulant la colonne, bras derrière la tête (4).

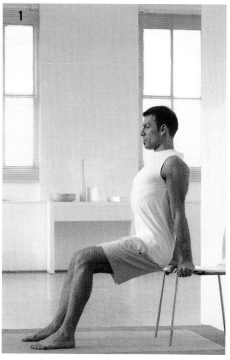

Les épaules et le haut du dos

Bien entendu les hommes peuvent faire tous les exercices proposés et illustrés précédemment.

Nous avons préféré prendre un modèle masculin pour des exercices plus puissants qui pourront aussi être réalisés par des femmes, sans doute en petites séries en raison d'une plus faible puissance dans les bras.

Les triceps, muscles de l'arrière du bras sont très peu sollicités au quotidien et très souvent relâchés car ils sont antagonistes du biceps. Ils se détendent donc chaque

fois que ces derniers travaillent.

Exercice de base pour le triceps

- Départ assis sur la chaise, posez vos mains sur les côtés du siège (1).
- Soulever le bassin.
- Laissez descendre le tronc en pliant les coudes (2).
- Remontez.

Progression

- Dans la même position de départ, tendez les jambes devant vous (3).
- Soulevez le bassin.
- Laissez descendre le tronc, jambes tendues (4).
- Remontez.

Danse russe

• Assis sur le bord de la chaise (1), tendez une jambe à l'horizontale, gardez l'autre jambe fléchie, pieds à plat (2).
• Descendez et remontez comme dans les exercices précédents (3).
• Pensez à expirer sur l'effort.

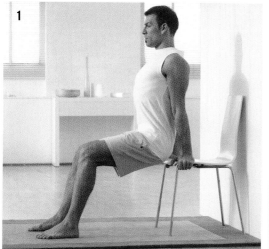
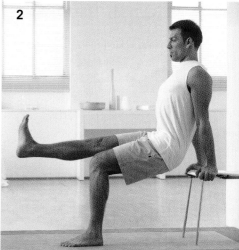

Variante jambes tendues

• Asseyez-vous sur le bord de la chaise.
• Tendez vos jambes, une à l'horizontale et l'autre devant vous (1).
• Descendez puis remontez (2).

Avec deux chaises

Servez-vous des deux chaises comme de deux barres parallèles.
• Recommencez ces quatre mêmes exercices en prenant appui sur les deux chaises.
• Asseyez vous dans le vide, une main sur chaque siège et les bras tendus (1).
• Descendez le bassin en pliant les bras (2).
• Remontez.

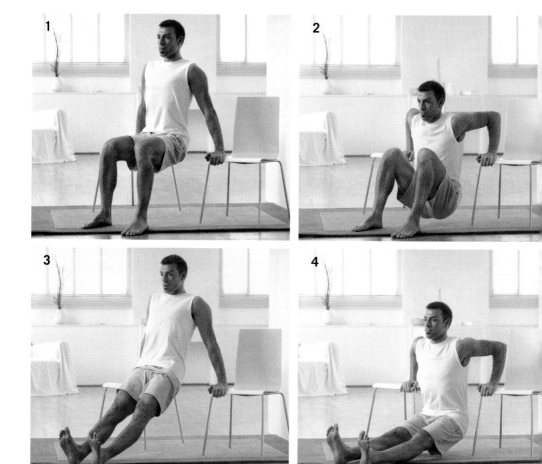

au masculin

Variante jambes allongées

- Recommencez l'exercice précédent mais les jambes tendues devant vous (3, 4).

La danse russe entre deux chaises

- Reprenez l'exercice de la « Danse russe » (p. 46) en vous servant de deux chaises (5, 6, 7, 8).

Autour des pompes

Les pompes font travailler le gainage et les abdominaux mais aussi les bras et les épaules.

- Départ assis sur les talons, posez les mains sur le siège, dos étiré (1).
- Redressez-vous à genoux, dos droit (2).
- Laissez descendre le pubis vers le sol pour aligner le corps des genoux au sommet de la tête (3).
- Pliez les coudes en les gardant serrés au corps, sans perdre l'axe entre les genoux et le sommet de la tête (4).
- Remontez en tendant les bras.

au masculin

1

2

Progression

- Démarrez dans la même position de départ que l'exercice précédent : assis sur les talons, mains sur le siège.
- Relevez le bassin, rentrez les orteils.
- Dépliez-vous en ramenant les talons vers le sol pour aligner le dos, du talon au sommet de la tête (1).
- Fléchissez les coudes et serrez-les contre le corps (2).
- Remontez.

Variante avec deux chaises

Reprenez ces deux derniers exercices en prenant appui sur deux chaises.
- À genoux, le dos droit, posez vos mains sur les sièges (1).
- Pliez les coudes en les écartant l'un de l'autre (2).
- Remontez en maintenant votre dos droit.
- Refaites cet exercice jambes tendues, en gainage du talon au sommet de la tête (3, 4).

Jambes tendues

- Toujours en appui sur deux chaises, levez une jambe en arrière, cheville fléchie (1).
- Pensez à maintenir votre dos droit (2).
- Pliez les coudes et tendez-les pour remonter (3).
- (Cet exercice vous permet d'étirer l'aine et de travailler les fessiers en plus du haut du corps.)

Une hanche fléchie

- Pour travailler les abdominaux, la flexion des hanches et l'étirement du dos, prenez appui sur deux chaises. Reprenez la position 3 de la variante avec deux chaises page 52.
- Pliez un genou et ramenez la cuisse vers le ventre sans arrondir le dos (1).
- Descendez et remontez tout en maintenant le genou fléchi et la cuisse au plus près du ventre (2).

pour les athlètes
★

Les pompes, version tête en bas

- Faites la planche en posant les pieds sur la chaise. Maintenez bien l'unité du corps.
- Tendez les jambes, orteils rentrés.
- Poussez les talons contre le dossier (1).
- Fléchissez les coudes au maximum et remontez, bras tendus, sans jamais perdre le gainage (2).

Progression

- Comme lors de l'exercice précédent, faites la planche les pieds sur la chaise.
- Ramenez un pied vers la fesse, les deux cuisses à la même hauteur (1).
- Fléchissez les coudes puis remontez les bras tendus (2).
- Tendez la jambe et soulevez-la, sans cambrer (3).
- Descendez et remontez (4).

Vous travaillez également le gainage de vos fessiers.

Accent circonflexe

- Partez en planche, les pieds sur la chaise et les talons contre le dossier.
- Montez les fesses vers le plafond.
- Poussez sur les bras, dos droit, les cuisses à quatre-vingt-dix degrés de la colonne vertébrale (1).
- Fléchissez très légèrement les genoux si vous êtes trop raide.
- Descendez en fléchissant les coudes et en les écartant, puis remontez (2).

Les tractions

Nous utilisons ici deux chaises et un bâton (un manche à balais sera parfait). Le travail est plus ciblé sur les biceps, les stabilisateurs des épaules, et les abdominaux pour garder l'unité. Veillez à bien stabiliser le bâton.

- Allongez-vous sur le dos entre les deux chaises.
- Posez le bâton sur les dossiers des deux chaises et placez-vous dessous (1).
- Pliez les genoux, pieds à plat.
- Attrapez le bâton et hissez-vous en tirant sur les bras, le corps bien gainé (2).

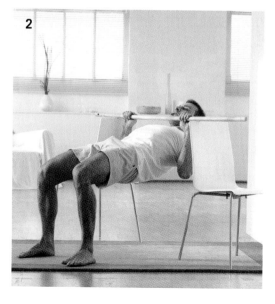

au masculin

Progression
• Recommencez cet exercice mais en gardant les jambes tendues

pour les athlètes
★

La table

Utilisez deux chaises comme barres parallèles.
• Partez assis au sol entre les chaises, les coudes sur les sièges (1).
• Soulevez le bassin et alignez-le ainsi que les épaules, en appui sur les coudes (2).
• Vous travaillez les triceps.

pour les athlètes
★

En progression

• Reprenez cet exercice.
• Soulevez le bassin et tendez une jambe. Gardez les cuisses à la même hauteur pour bien travailler la stabilisation du bassin et des fessiers.

pour les athlètes
★

En guetteur de dos

- Partez assis au sol entre les chaises, les coudes sur les sièges.
- Tendez les jambes devant vous (1).
- Soulevez le bassin et alignez-le ainsi que les épaules, en appui sur les coudes (2).
- En progression, soulevez une jambe sans laisser descendre le bassin (3).

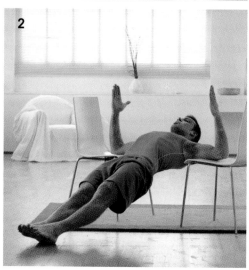

pour les athlètes
★

Grand écart à l'envers

- À partir de la pose de l'accent circonflexe (p. 57), tendez une jambe vers le plafond dans le prolongement du tronc (1).
- Par cet exercice vous travaillez l'extension de l'aine, l'étirement des ischios jambiers et le renforcement des fessiers.
- Fléchissez les coudes (2).
- Remontez.

Les abdominaux

Tous les exercices présentés ici sont en accord avec les principes de l'approche A.P.O.R.B. de Gasquet et en particulier avec les éléments développés dans l'ouvrage *Abdominaux : arrêtez le massacre,* (Marabout).

Il n'y aura donc jamais raccourcissement des abdominaux grands droits, ni de rapprochement du bassin et des épaules, afin de ne pas augmenter la pression dans l'enceinte abdominale, de ne pas pousser les viscères vers le bas et de protéger le périnée et la colonne vertébrale, en empêchant toute compression des disques intervertébraux.

L'étirement est toujours respecté.

Tous les efforts se pratiquent sur l'expiration, en associant la contraction préalable du périnée, afin de diriger les forces vers le haut.

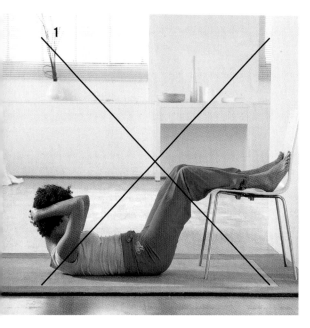

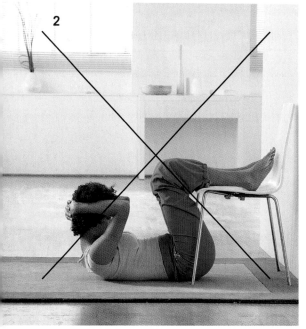

Ce qu'il ne faut pas faire lorsque vous travaillez les abdominaux :

• Lever la tête et les épaules (1).
• Pousser la tête avec les bras, coudes en avant. Ces gestes sortent le ventre au lieu de le rentrer et poussent les organes vers le bas ce qui est mauvais pour le périnée. Par ailleurs vous comprimez vos cervicales (2).

Ce qu'il faut faire :

- La tête repousse les mains, qui résistent.
- Les coudes sont en arrière.
- Le menton est baissé, sur l'expiration.
- Le ventre rentre, le dos s'étire jusqu'à la nuque. (1)

- On peut alors renforcer le travail en ramenant une jambe tendue vers le visage, sans jamais provoquer la saillie du ventre.
- Contractez le périnée et expirez.
- Faites de petits battements en redescendant la jambe tendue, sans jamais sortir le ventre. (2)

Séries couchées

Pour la série d'exercices qui suit :
• allongez-vous sur le dos.
• posez les mollets sur la chaise, les fesses au plus près de la chaise.

L'opposition bras- jambes

Ces exercices travaillent le transverse et les obliques.
• Couchez-vous sur le dos.
• Placez une jambe sur la chaise et une main sous la tête.
• Ramenez la cuisse le plus près possible du ventre.
• Passez l'avant-bras du même côté à l'intérieur du genou (1).
• Sans laisser la cuisse s'écarter de sa position, en expirant, essayez de pousser le genou vers l'extérieur et de retenir par les abdominaux et les adducteurs.
(Cet exercice travaille aussi les adducteurs ainsi que l'arrière et le dessous des bras.)

Exercice complémentaire

• Dans la même position, passez l'avant-bras opposé à l'extérieur du genou (2).
• Opposez l'effort de poussée du bras et celui de résistance de la cuisse, en expirant.
(Vous travaillerez ainsi vos adducteurs et augmenterez la circulation du sang dans la hanche.)

En contre résistance

La totale

Les grands droits (en plus du transverse et des obliques) vont ici travailler en «isométrique» c'est-à-dire à longueur constante, sans raccourcissement ni allongement.

- Couchez-vous sur le dos, une jambe sur la chaise, ramenez une cuisse le plus près possible du ventre.
- Placez vos mains, doigts croisés, contre le genou.
- En expirant, repoussez le genou. Rien ne doit bouger. La cuisse ne s'éloigne pas du ventre.

Avec une sangle

- Allongez-vous sur le dos, une jambe sur la chaise.
- Passez une sangle sous le pied de l'autre jambe.
- Les mains sont à hauteur des genoux.
- Cherchez à tendre la jambe et ramenez-la vers vous (1).
- Lâchez la sangle sans que le ventre ne sorte (il faut pour cela bien contracter le périnée et expirer) (2).

(On peut rajouter un petit ballon sous le sacrum pour faciliter le placement du dos et décharger le périnée.)

Couché sur le côté

Abdominaux profonds, fessiers, périnée et adducteurs

- Couchez-vous sur le côté, posez un pied sur la chaise et l'autre jambe en dessous.
- Poussez les fesses vers l'avant et le genou supérieur vers l'arrière (1).
- (Vous faites travailler ainsi les fessiers et le transverse abdominal.)
- Soulevez l'autre jambe en partant bien du périnée et non du pied (2).
- (C'est au tour des obliques et des adducteurs d'être sollicités.)

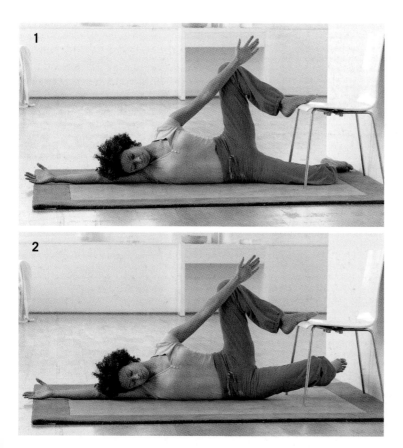

Les translations du bassin

- Allongez-vous sur le dos, placez les jambes sur la chaise à quatre-vingt-dix degrés des cuisses (1).
- À l'aide d'un ballon souple placé sous le sacrum, faites une translation du bassin par rapport aux épaules en poussant les deux hanches vers la droite puis vers la gauche, au plus loin, en essayant de ne jamais rapprocher la hanche de l'épaule (2).

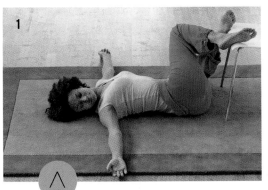

Torsions, en position couchée

Toutes les torsions font travailler le transverse et les obliques. Il s'agit ici de translation du bassin par rapport aux épaules. Vous devez pousser les hanches vers la droite, puis vers la gauche, le plus loin possible.

Divers exercices sont possibles en fonction de la position des appuis sur la chaise.

- Laissez bien les deux épaules au sol.
- Faites vriller le bassin progressivement en expirant et en faisant travailler les muscles de la taille (1).

- Les pieds sont posés sur le bord du siège.
- Laissez descendre les deux genoux du même côté, sans soulever les épaules.
- La tête est tournée à l'opposé des genoux.
- Allongez la jambe supérieure en la ramenant vers le ventre (il serait possible de prendre une sangle ou de ne pas tendre le genou si on est raide) (2).

(Il ne faut jamais que l'angle fémur-colonne soit supérieur à quatre-vingt-dix degrés.)

Avec un ballon souple

- Reprenez l'exercice précédent et placez un ballon sous le pied de la jambe supérieure.

(Il est plus facile de pousser le pied au plus loin avec un ballon.)

- Gardez toujours l'angle fémur -colonne inférieur à quatre-vingt-dix degrés.
- Le regard est toujours tourné vers le dos, les épaules au sol.

Assis devant la chaise, genoux fléchis

- Tournez-vous en pensant bien au principe de « vis montante ».
- Redressez-vous grâce à la main arrière.
- Vous pouvez enlever l'appui des mains une fois que vous êtes dans la position finale et maintenir la posture par les abdominaux.

Assise

- Pour les plus souples, répétez l'exercice précédent, cette fois-ci les jambes tendues, buste en avant et une main contre le dossier.

Les postures assises sur la chaise

L'autograndissement

- L'autograndissement est le seul fait de pousser les ischions sur le siège et le sommet de la tête vers le haut, en expirant. Il fait travailler les muscles transverses et obliques, gaine le buste et tonifie le dos. (Voir p. 27)

Les torsions

Dans les obliques, toutes les torsions font travailler la « guêpière » et affinent la taille. C'est une « vis montante » qui vrille à chaque respiration en érigeant le buste.
- Veillez à bien vous redresser et à tourner progressivement du bassin aux épaules, la tête en dernier, en expirant sur chaque niveau de « vissage ».
- Ne tournez pas tout le corps d'un coup et surtout pas les épaules et la tête en premier.

Assis sur la chaise

- Vous avez vu plusieurs torsions dans le chapitre «Haut du dos». Elles font aussi travailler les abdominaux obliques. (Voir p. 38-39)

Les grands droits

Ici, les grands droits restent isométriques, c'est-à-dire que le travail se fait à longueur constante, sans s'allonger ni se raccourcir.

Assis

- Asseyez-vous sur le bord de la chaise.
- Redressez le dos et gardez-le bien droit.
- Soulevez une cuisse, genou fléchi, le plus haut possible sans lâcher l'étirement du dos (1).
- C'est là toute la difficulté et tout l'intérêt.
- Pour augmenter la difficulté, soulevez la jambe tendue (2).

1

2

Assis, les deux jambes à la fois

- Encore plus difficile, répétez l'exercice en soulevant les deux jambes à la fois.
- Veillez à ne pas voûter le dos !

En twist, pour les obliques

- Maintenez la position de l'exercice précédent et basculez les genoux d'un côté puis de l'autre pour travailler les obliques.

Renforcement du transverse abdominal et des obliques

Les fausses inspirations thoraciques

Exercice tiré du yoga

Commencez toujours par vous « auto-agrandir », c'est-à-dire éloigner le sommet de la tête du bas de la colonne, quelle que soit la position. Expirez puis faites « semblant » d'inspirer dans la poitrine, sans laisser rentrer l'air. Pour découvrir le geste vous pouvez à la fin de l'expiration, fermer la bouche, pincez-vous le nez et « reniflez » nez bouché. Continuez à tirer le sommet de la tête loin du bassin. Ne laissez pas le menton se relever. Quand vous maîtriserez, vous bloquerez la glotte pour rester « vide » (les poumons ne sont jamais vraiment vides, rassurez-vous) le plus longtemps possible. Vous devez constater que le ventre se creuse, que le sternum et la poitrine remontent. Le dos est très étiré. Quand vous avez vraiment besoin d'air ouvrez la glotte et laissez-vous inspirer. Vous sentirez très bien la descente du diaphragme et le retour du ventre à son état habituel, sans pousser dessus pour le « gonfler ».

Ces exercices ont un puissant effet de drainage :
• ils massent les intestins (efficace en cas de constipation), le foie, les reins ;
• vascularisent les organes abdominaux ;
• agissent sur la circulation veineuse et lymphatique ;
• drainent en particulier les hémorroïdes par l'action sur la veine porte.

Ils remontent et verticalisent les organes, luttent contre leur descente et stimulent la vidange vésicale.

Ils étirent également le dos et font contracter de façon réflexe les abdominaux profonds (transverse, obliques) en tonifiant le plan profond du périnée, celui qui soutient les organes.

Réalisation dos creux

- Allongez-vous sur le dos et placez les jambes sur la chaise (1).
- Placez les mains sous l'occiput.
- Expirez, ne respirez plus et appuyez la tête sur les mains, menton toujours rentré (2).

Dos rond

- Allongez-vous sur le dos, les jambes sur le siège, posez les mains sur les genoux, doigts vers le bas.
- Expirez.
- À la fin de l'expiration, ne respirez plus et rapprochez bien les coudes l'un de l'autre en appuyant sur l'occiput. Ne cherchez pas à tendre les bras. Le ventre se creuse !

Plus puissant

- Ramenez un pied sur un genou et recommencez.
- Le ventre se creuse beaucoup plus !

Assis par terre devant la chaise

Dos creux
- Posez les coudes sur la chaise.
- Expirez.
- Ne respirez plus et poussez les coudes sur le siège sans monter les épaules.
- Le dos se redresse et la poitrine monte.

Dos rond
Cet exercice travaille également la détente des épaules.
- Placez vos mains sur le siège, doigts dirigés vers vous.
- Expirez à fond et sans prendre d'air.
- Repoussez vers le haut, les coudes vers le haut, en direction du plafond.
- Étirez la nuque et regardez vers le bas.
- Sentez le ventre se rentrer complètement.

Assis devant une table

• Répétez les deux précédents exercices devant une table.
• Dos rond (1).
• Dos creux (2).
(Il faut toujours éloigner les épaules du bassin, le ventre doit
rentrer, la poitrine remonter !)

1

Dos rond

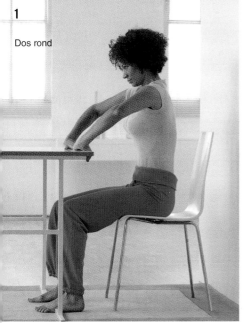

2

Dos creux

Les postures d'unité ou de gainage

Les postures d'unité s'apparentent aux pompes et demandent de tenir le dos rigide, par un gainage des muscles profonds du dos et de l'abdomen.
Tous les abdominaux participent, en équilibre, sans aucune dominante.

Pompes

- Placez-vous à quatre pattes devant la chaise adossée au mur.
- Posez une jambe bien tendue sur le siège (1), puis l'autre (2), le bassin basculé par l'action du périnée.
- Vous êtes en gainage.
- Fléchissez les coudes, les bras près du corps (3).
- Remontez.

(N'allez pas trop haut, il faut que le corps reste dans la position de la planche.)

au masculin

Les abdominaux

Nous allons présenter ici des gainages, plus spécifiques aux hommes. Nous rappelons que tous les exercices présentés précédemment sont valables pour la gent masculine ! Nous allons retrouver des postures semblables à celles étudiées pour les épaules et les bras car il est impossible de les dissocier lorsqu'on fait des pompes.

Autour du guetteur

On appelle ainsi la posture de yoga où celui qui fait le guet doit chercher à voir l'ennemi sans se faire voir.
Le bassin ne doit donc jamais dépasser la tête, sinon l'ennemi peut viser les fesses !
Plusieurs positions des pieds, correspondant à des difficultés progressives pour assurer le gainage, sont présentées :

Position de base

- Asseyez-vous sur les talons.
- Placez vos mains sur le bord du siège,
- redressez-vous à genoux.
- Tirez les talons vers le sol.

(Les mains sont à l'aplomb du visage.)

EN PROGRESSION

- Reculez les pieds au plus loin, les mains très en avant du corps et maintenez l'unité de celui-ci.

VARIANTE
- À partir de la « Position de base » page 83, fléchissez les coudes.
- Remontez en faisant des pompes classiques comme au chapitre « Haut du dos » page 51.
- Levez un bras tendu dans le prolongement du corps (1).
- Puis levez la jambe opposée en maintenant le bassin (2).
- (Il y a là en plus un travail des fessiers et d'étirement de l'aine.)
- Ramenez une cuisse au plus près du ventre, sans arrondir le dos (3).
- (Vous travaillez par cet exercice le haut du dos, et la flexion de l'aine.)

au masculin

Le guetteur au-dessus de la muraille
- À partir de la « Position de base » montez sur la pointe des pieds, orteils retournés, pour aller guetter au-dessus du dossier, sans changer la rectitude du dos (1).
- Revenez talons vers le sol (2).

....

Le guetteur à genoux de face
- Placez-vous à genoux devant la chaise.
- Ramenez les talons vers les fesses (1).
- Maintenez l'unité du corps.
- Levez un bras (2).

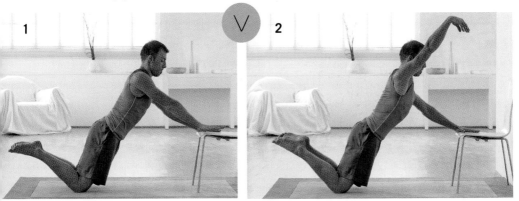

Le guetteur sur le côté

- Asseyez-vous sur le côté.
- Posez l'avant-bras sur le bord du siège.
- Fléchissez la jambe inférieure (1).
- Soulevez les hanches en restant en appui sur la jambe infé-
  rieure et sur le bras (2).
- Soulevez la jambe tendue ou ramenez la cuisse vers le ventre,
  sans lâcher l'allongement (3).

(Vous rajoutez un travail sur l'articulation de la hanche.)

au masculin

PROGRESSION

Faites le même exercice, main à plat sur le siège, bras tendu.

- Soulevez le bassin, les deux jambes tendues en restant en appui sur les pieds et votre main (1).
- Au sol, placez vos pieds parallèles l'un par rapport l'autre, puis soulevez la jambe supérieure pour travailler l'abduction (2).
- Fléchissez ensuite le genou pour tavailler au maximum la flexion de la hanche (3).

VARIANTE « TOURNE BROCHE »

- Faites la planche en posant l'avant-bras au sol, les pieds sur le siège contre le dossier (1).

Vous pouvez faire le tour :

- levez un bras vers le plafond (2) ;
- faites tourner le bassin vers l'avant ;
- puis posez-vous sur vos avant-bras pour arriver en guetteur en avant tête en bas (3).
- Revenez sur le côté opposé à celui du départ.

AVEC LES ADDUCTEURS

- Partez sur le côté.
- Posez un pied sur le siège, le bras d'appui est tendu et l'autre jambe est au sol.
- Soulevez les hanches pour aligner le corps, du bras supérieur tendu le long de l'oreille jusqu'au pied sur la chaise.
- En expirant soulevez la jambe inférieure tendue.
- Maintenez l'unité de votre corps.

au masculin

De dos

- Placez-vous dos à la chaise.
- Asseyez-vous contre le siège, mains sur le bord, les coudes pliés.
- Tendez les bras pour arriver en planche (1).
- Le haut du dos doit être creux, et le bassin bien tenu.
- Soulevez une jambe tendue devant en maintenant le bassin (2)

1

2

PROGRESSION

- À partir de la position de dos, soulevez une jambe fléchie, et ramenez la cuisse au plus près du ventre.

(On peut évidemment enchaîner et faire le tour en « tourne broche » : face, côté, dos, autre côté, face...)

Autres propositions de postures d'unité (gainage)

LE RAPPEL

Il s'agit d'une posture d'unité, comme si on était en rappel sur un bateau.
Outre vos abdominaux, vous travaillerez également les muscles des cuisses.

- Asseyez-vous sur vos talons.
- Placez légèrement vos genoux sous la chaise.
- Posez vos mains à plat sur le bord du siège (1).
- Redressez-vous à genoux.
- Poussez le haut du corps vers l'arrière en restant droit. Les oreilles, les épaules, les hanches et les genoux doivent être alignés (2).
- Revenez sans vous aider des mains.

au masculin

Le pédalage en équilibre et l'équerre

La double équerre

• Asseyez-vous au bord du siège.
• Posez les mains près des fesses sur les côtés du siège (1).
• Redressez le dos.
• Ramenez les cuisses contre le ventre en maintenant le dos droit (2).
• Veillez à ce qu'il y ait bien quatre-vingt-dix degrés entre les cuisses
  et la colonne, ainsi qu'entre les cuisses et les jambes.

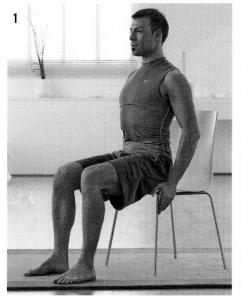

Pour travailler l'équilibre

- Asseyez-vous sur le bord du siège, ramenez les cuisses contre le ventre en gardant le dos droit.
- Appuyez le haut du dos sur le dossier du siège et enlevez les mains.
- Tendez les bras devant vous (1).
- Ramenez une jambe fléchie près du ventre, allongez l'autre (2).
- Il n'y a plus qu'à pédaler... (3)

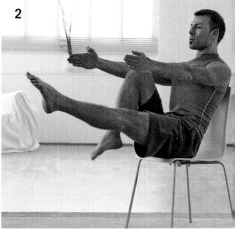

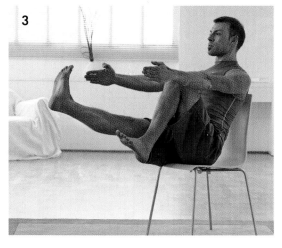

au masculin

Équilibre de l'équerre

Cet exercice demande de la souplesse.
- Assis sur le bord du siège, le dos droit, redressez-vous à l'aide des bras.
- Ramenez les jambes tendues devant vous à l'équerre (1), puis tendez les bras devant (2).

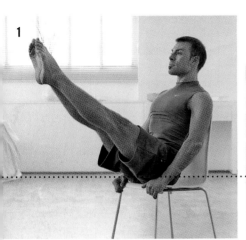

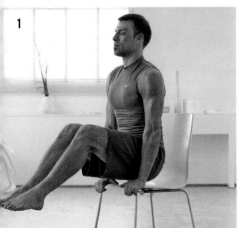

Les équerres classiques, comme sur le cheval d'arçon

- À partir de l'exercice de « La double équerre » (p. 91) prenez appui sur vos mains, tendez les bras et soulevez tout le corps (1).
- Tendez les jambes pour réaliser l'équerre simple en élévation (2).

ÉQUERRE AVEC DEUX CHAISES
- Utilisez les deux chaises comme des barres parallèles.
- Partez assis par terre une main sur chaque siège, jambes tendues devant vous (1).
- Remontez à la force des bras (2) et remontez également les jambes tendues (si vous avez la souplesse suffisante !) (3).
- Vous pouvez vous balancer (4).

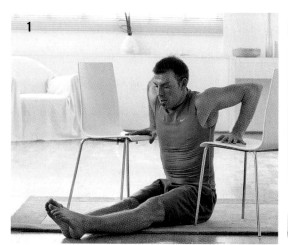

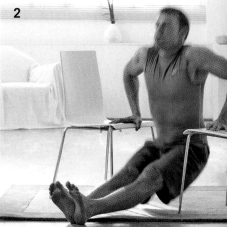

L'écart équilibre fessier

- Assis, une main sur chaque chaise, remontez à la force des bras (1).
- Tendez les jambes en avant, puis écartez-les (2).

pour les athlètes
★

Avec élan

- Mettez-vous à genoux entre les chaises (1).
- Soulevez le bassin vers l'arrière (2), les talons vers les fesses, basculez le tronc vers l'avant (3).
- Basculez en arrière et ramenez les jambes en avant à l'équerre (4).

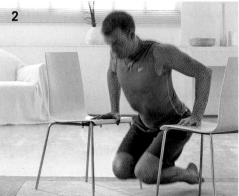

Autour du demi-pont

Garder le corps totalement gainé dans le demi-pont demande une bonne maîtrise de la sangle abdominale et du dos.

À deux jambes

- Allongez-vous sur le dos.
- Placez vos talons sur le siège, genoux fléchis, angle fémur–colonne vertébrale inférieur à quatre-vingt-dix degrés (1).
- Soulevez le bassin jusqu'à aligner les épaules et les genoux (2)
(Les triceps travaillent beaucoup pour maintenir le haut du dos creux.)
- Tendez ensuite les bras vers le plafond sans arrondir le haut du dos ni creuser les reins (3).

EN PROGRESSION

- Reprenez le dernier exercice.
- Bras tendus vers le plafond ou allongés derrière la tête, tendez une jambe dans le prolongement de la cuisse, sans lâcher le gainage (1).
- Ramenez la cuisse vers le ventre par une flexion maximum de l'aine, sans arrondir le dos ni descendre le bassin (2).
- Tendez la jambe à la verticale (3).
- Puis ramenez la cuisse sur le ventre pour redescendre en déroulant le dos (4).

En « planche »

- Allongez-vous sur le dos, pieds sur le bord du siège et les jambes tendues (1).
- Soulevez le bassin en gardant la rigidité des épaules aux talons (2).
- Soulevez une jambe tendue (3).
- Ramenez ensuite la cuisse sur le ventre sans bouger le dos.

EN TORSION

Vous travaillez par cet exercice les obliques en gainage.

• Allongez-vous sur le dos.
• Tendez les jambes et placez les pieds sur le bord du siège.
• Remontez le genou vers la poitrine (1).
• Gardez la cuisse bien rapprochée du ventre.
• Faites tourner le bassin comme pour l'amener à quatre-vingt-dix degrés des épaules qui restent bloquées (2).

Le paon

- Posez les mains sur le bord du siège, les coudes serrés au corps.
- Soulevez le bassin, les cuisses vers la poitrine (1).
- Dépliez l'aine et ramenez les pieds joints vers les fesses (2).

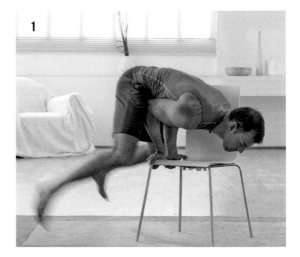

Les hanches,
les cuisses les jambes

La chaise permet de travailler tous les mouvements possibles de l'articulation de la hanche, d'assouplir ou de renforcer les muscles adducteurs, abducteurs, extenseurs ou fléchisseurs de la hanche.

Ces exercices permettent aussi d'activer la circulation du sang dans les jambes. Ceci est important vu le nombre d'heures passées mal assis.

Les assouplissements

Ce travail s'articule autour de l'abduction et de la rotation externe des fémurs.

Assis

• Assis sur la chaise, placez un pied contre la cuisse opposée et tentez d'abaisser le genou.

Progressions

- Assis sur la chaise, posez une cheville sur la cuisse opposée et cherchez à faire descendre le genou (1).
- Penchez-vous en avant, dos droit pour travailler la flexion de l'aine en plus (2).

Ouverture plus poussée

Autour du lotus

- Asseyez-vous sur la chaise.
- Placez le cou-de-pied retourné sur une cuisse, pour arriver dans la position du demi-lotus (1).
- (Cet exercice permet de travailler aussi la souplesse de la cheville.)
- Si vous êtes souple, vous pouvez aller jusqu'au lotus complet (2).
- Si vous avez un problème de hanche, placez un petit ballon souple sous la cuisse. Cela vous permettra de progresser en détente et de relaxer particulièrement les adducteurs (3).

Le papillon

- Placez les pieds plante contre plante sur le siège.
- « Battez des ailes » avec les cuisses.
- Maintenez votre dos droit.

La fente latérale

- Asseyez-vous au bord de la chaise.
- Écartez les deux jambes au maximum, pieds en dehors.
- Basculez bien le bassin pour éviter de cambrer.
- Allongez une jambe et ramenez le pied vers le corps.

Contre résistance

- Asseyez-vous au bord de la chaise, écartez les genoux au maximum, pieds en dehors.
- Placez les mains à l'intérieur des genoux, bras tendus, dos droit et poussez contre les cuisses.
- Vous pouvez soit chercher l'ouverture maximum en détendant les adducteurs soit résister avec les cuisses (en partant du périnée), ce qui tonifie les adducteurs qui en ont bien besoin!

(Ces résistances font travailler également les triceps. Nous retrouverons ce travail à propos du périnée)

Avec les bras

- Penchez-vous en avant.
- Croisez les bras et accrochez l'extérieur des cuisses avec vos mains.
- En expirant, à partir du périnée, essayez d'écarter les genoux tout en les retenant avec les mains.

La grenouille sur le dos

- Sur le dos, les fesses au ras des pieds de la chaise, placez les pieds plante contre plante contre le bord de la chaise et faites des balancements droite gauche pour assouplir en détente.

(Cet exercice détend les adducteurs et travaille les muscles externes de la cuisse.)

Avec une sangle

- Allongez-vous sur le dos.
- Un pied sur le bord du siège, les fesses au ras de la chaise, prenez l'autre pied dans la main (1), ou aidez vous d'une sangle (2) et cherchez à descendre la jambe tendue sur le côté.
- Le ballon peut de nouveau permettre un travail en détente.

(Attention l'angle entre la cuisse et le corps doit rester inférieur à quatre-vingt-dix degrés.)

Abduction, rotation externe des fémurs, bascule du bassin et des fessiers

- Debout, un pied sur la chaise, poussez les fesses vers l'avant et le genou vers l'arrière (1).
- Allongez-vous sur le côté, une jambe sous la chaise, un pied sur le bord du siège, angle fémur -colonne inférieur à quatre-vingt-dix degrés pour ne pas vous cambrer (2).
- Poussez le bassin en avant et le genou en arrière.

(Le périnée est tonifié dans cette série. Pensez toujours à partir du périnée pour expirer.)

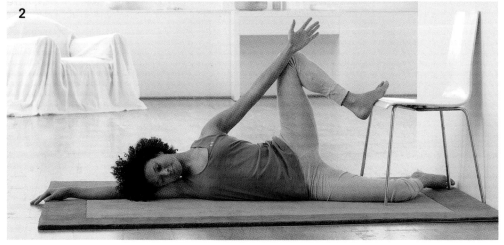

Autour du demi-pont

Nous retrouvons dans cet ouvrage les demi-ponts à diverses occasions : pour la nuque, pour les fessiers, pour la circulation du sang... Nous les utilisons ici pour l'ouverture des hanches.
• Couchez-vous sur le dos devant la chaise.
• Placez le pied droit sur le bord du siège, fermez bien l'angle fémur-colonne en rapprochant le bassin de la chaise (1).
• Posez la cheville gauche sur le haut de la cuisse droite puis soulevez le bassin en maintenant bien la tension dans le périnée pour ne pas vous cambrer (2).
(Il y a un puissant travail des fessiers, un étirement important de la nuque et de l'aine ainsi qu'un renforcement des bras (triceps) qui poussent dans le sol.)
• Faites un bon déroulement pour revenir et changez de côté.

Autour de la danse classique

Utilisez la chaise comme une barre d'entraînement pour vos différentes positions.
• Partez debout, en écart, les pieds et les genoux en dehors (1).
• Faites des flexions jusqu'à amener les cuisses à l'horizontale, le dos droit et remontez (2).

• Posez l'avant-bras gauche sur le dossier de la chaise.
• Étirez-vous en arrière et attrapez le cou-de-pied droit avec votre main droite.
• Poussez le pied droit vers le haut en le regardant (3).
• Changez de côté.

Les mouvements en fermeture

Étirement des muscles rotateurs externes, tonification des adducteurs

Postures assises contre résistance

- Penchez-vous en avant, genoux écartés, pieds parallèles.
- Croisez les bras et placez les mains contre la face interne des genoux.
- Essayez de resserrer les genoux et repoussez-les de vos mains.

(Cet exercice tonifie les adducteurs et les triceps (muscles de l'arrière des bras) qui sont les plus difficiles à muscler.)

L'ANTI-SCIATIQUE

Cette posture ressemble à une posture de yoga appelée anti-sciatique. Bien évidemment elle n'est pas à faire en cas de sciatique avérée, mais elle permet d'étirer les muscles externes de la cuisse et les rotateurs externes de la hanche, ce qui soulage les articulations sacro-iliaques comprimées.

- Asseyez-vous sur la chaise, remontez une jambe vers la poitrine.
- Croisez les cuisses.
- Placez le pied à l'extérieur de la cuisse opposée.
- Appuyez bien les ischions sur le siège.
- Grandissez-vous et tirez le genou vers vous.

AVEC LE BALLON
Il est très facile à utiliser ici et
très intéressant.
• Assis au bord de la chaise,
  dos redressé, essayez de
  comprimer le ballon entre
  vos genoux, en partant bien
  du périnée.

Torsion couchée

- Couchez-vous sur le dos, pied gauche au sol contre le pied gauche de la chaise et genou gauche fléchi (1).
- Mettez vos bras en croix.
- Ramenez la cuisse droite contre le ventre, genou fléchi.
- Cherchez à tendre la jambe droite sans laisser l'angle fémur-colonne dépasser quatre-vingt-dix degrés, pour éviter la cambrure (2).
- Regardez vers la droite et tentez de pousser le pied droit le plus loin possible vers la gauche sans soulever l'épaule droite.

(Si vous ne pouvez pas tendre le genou, ne forcez pas, acceptez de garder une flexion.

Si vous avez une sangle et un ballon souple, vous pourrez être beaucoup plus détendu.)

- Revenez au centre et recommencez de l'autre côté.

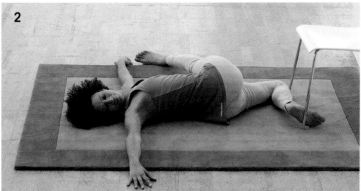

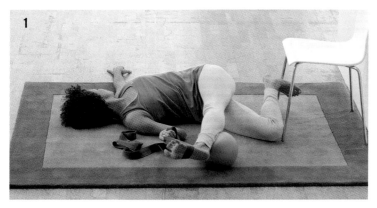

Autour du demi-pont

- Allongez-vous sur le dos.
- Posez les pieds sur le bord du siège, angle cuisse-dos inférieur à quatre-vingt-dix degrés.
- Croisez la jambe droite sur la gauche en expirant (1).
- Serrez le plus possible !
- Puis soulevez le bassin toujours sur l'expiration à partir du périnée pour ne pas cambrer (2).

Le demi-pont avec un ballon

Vous pouvez utiliser un ballon que vous serrez entre les genoux lors du demi-pont.

Étirements de l'aine, flexion de l'aine

Étirement de l'aine et de la face antérieure de la cuisse

- Asseyez-vous sur la chaise, les pieds au sol ou un pied posé sur un marche-pied ou un ballon (1).
- Redressez-vous en appuyant les deux fesses sur le siège.
- Pliez un genou pour amener le talon contre la fesse.
- Penchez-vous légèrement en avant, attrapez le cou-de-pied avec votre main et tirez vers la fesse, sans cambrer (2).

(Le petit ballon aide à ne pas cambrer puisqu'il remonte le genou et ferme l'angle fémurs-colonne vertébrale.)

Variante à califourchon

- Reprenez cet exercice en vous mettant à califourchon sur la chaise.

Flexion-extension de l'aine, étirement du dos et de l'arrière des cuisses et des jambes

La grande fente

- À genoux devant la chaise, les mains sur le bord du siège, posez un pied à plat au sol, la jambe bien perpendiculaire au sol, le genou en contact avec le siège.
- Allongez la jambe opposée en arrière, le plus loin possible, en restant très redressée au niveau du tronc.

Le grand enchaînement

- La chaise en appui sur un mur, posez un pied sur le siège, les mains sur le dossier.
- Reculez le pied arrière le plus loin possible en gardant la jambe avant verticale, genou au-dessus du pied.
- Tirez bien le talon arrière vers le sol pour sentir l'étirement derrière le mollet.
- Poussez le sommet de la tête dans le prolongement du dos.

Étirement de l'aine et flexion de la hanche

- Reprenez la position de départ de l'exercice précédent.
- Fléchissez le genou arrière (1) et ramenez-le vers l'avant pour essayer de le poser dans le prolongement du dos (2).
- Si la chaise est un peu haute, placez un coussin sous le genou pour ne pas être tordu.

Étirement plus poussé

- À genoux devant la chaise, mains sur le dossier, dos droit, aine très étirée, pliez un genou pour amener le talon vers la fesse.
- Attrapez le cou-de-pied dans la main sans cambrer et tirez vers la fesse.
- Faites-le des deux côtés.

Couché au sol

Cet exercice s'adresse à des personnes bien entraînées.
- Couchez-vous au sol, un pied sur le bord du siège, ramenez la cuisse près du ventre.
- Évitez de cambrer. La taille reste au sol.
- Attrapez le cou-de-pied de la jambe au sol et ramenez le talon vers la fesse.

Postures « mixtes »

Adducteurs, abducteurs et fessiers

Nous allons faire un travail de bascule du bassin (rétroversion), avec renforcement des abdominaux transverses et des fessiers.

• Couchez-vous sur le côté, un pied sur le bord du siège, (placez-le assez près pour que la cuisse soit à moins de quatre-vingt-dix degrés du ventre afin d'éviter la cambrure) l'autre jambe mi-allongée en dessous.
• Placez un bras ou un oreiller sous la tête, et l'avant-bras du bras opposé contre la face interne du genou.
• Poussez les fesses vers l'avant en contractant bien le périnée et essayez d'écarter le genou vers l'arrière.
(Complétez cette abduction ouverture de hanche par une adduction.)
• Dans la même position, soulevez l'autre jambe, en expirant.
(Il y a alors un travail des abdominaux obliques en plus.)

Abdominaux et abducteurs

• Couchez-vous sur le dos.
• Posez le pied gauche sur le bord du siège.
• Ramenez la cuisse droite au plus près du ventre.
• Étirez bien votre nuque.
• Glissez le bras gauche vers la droite et placez l'avant-bras à l'extérieur du genou droit.
• En expirant, faites une opposition bras-jambe : la jambe veut s'écarter et le bras l'en empêche.
(Vous travaillez également le triceps.)

au masculin

Le renforcement des quadriceps

Vous pouvez compléter cet exercice par un étirement des ischios jambiers.

Beaucoup d'hommes sont très rétractés au niveau des ischios jambiers, ce qui limite leurs possibilités au niveau du travail du quadriceps.

Avec deux chaises

- Asseyez-vous au sol entre les deux chaises.
- Posez les mains sur les sièges, coudes fléchis.
- Tendez une jambe devant (1).
- À l'aide des bras, soulevez l'ensemble bassin-jambe tendue (2).
- Puis cherchez à vous relever complètement, jambe toujours tendue devant, le plus haut possible (3).
- Veillez à ce que votre dos reste droit !,

Flexion et extension de la hanche

- Asseyez-vous sur vos talons devant la chaise et posez les mains sur le siège (1).
- Redressez-vous en planche en gardant l'étirement du talon au sommet de la tête (2).
- Ramenez une cuisse vers le ventre le plus possible.

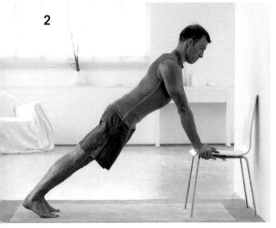

Guetteur en arrière

- Asseyez-vous dos à la chaise, les mains sur le siège.
- Allongez les jambes.
- Tendez les bras pour arriver en planche.
- Puis ramenez une cuisse le plus près possible du ventre.

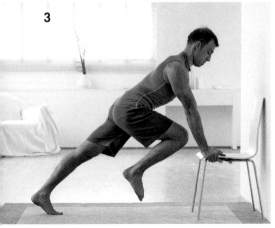

En équilibre

• Montez sur la chaise et étirez-vous vers le plafond (1) en remontant une cuisse sur le ventre (2) pour un travail dynamique.

1

2

L'abduction

Il s'agit d'une abduction pure, sans rotation externe de la hanche.

- Partez en « guetteur » sur le côté (1).
- Soulevez la jambe droite en gardant le pied parallèle au sol pour obtenir une abduction sans rotation externe (2).
- Changez de côté.

Variante

- Lorsque que vous êtes en « guetteur redressé », tendez le bras et la jambe inférieure.

Le coup de pied à la lune

On a ici un travail de flexion, d'abduction, puis d'adduction.

• Face au dossier de la chaise (1), levez une jambe (2) et passez-la par-dessus le dossier de gauche à droite puis l'inverse, le plus haut possible (3).

Les exercices à deux

L'accroupi

Cet exercice vous est conseillé afin d'assouplir vos hanches dans la flexion et d'étirer le bas du dos.
• L'un est assis sur la chaise, à ca- lifourchon face au dossier pour faire contre-poids (1).
• L'autre s'accroche au dossier pour s'accroupir (2).
(Vous pouvez faire cet exercice en vous tenant les mains.)

La chaise sans siège

- Asseyez-vous face à face, l'un à califourchon sur la chaise et l'autre debout derrière le siège.
- Attrapez vos poignets et tendez les bras.
- Posez vos pieds à plat au sol, parallèles.
- Écartez vos cuisses de la largeur du bassin.
- Fléchissez les genoux.
- Descendez dos droit jusqu'à la position assise sur une chaise... Mais sans chaise !

La danse russe

- Posez un pied sur la cuisse de votre partenaire assis sur la chaise.
- Changez de jambe.
- (Ce travail est excellent pour muscler les cuisses et dans le cadre d'une préparation au ski !)

Les fessiers

Il y a souvent beaucoup d'erreurs dans le travail des fessiers. Le plus souvent, le bassin n'est pas stabilisé ce qui provoque une cambrure ainsi qu'une poussée abdominale.
Un travail correct des fessiers est synergique au périnée et renforce celui-ci.

....

genou vers l'arrière, à l'aide du bras.

Debout, un pied sur la chaise

- Debout à côté de la chaise, posez un pied sur le siège.
- En contractant sur le périnée, ramenez le coccyx vers l'avant (poussez les fesses vers l'avant) et poussez le genou vers l'arrière à l'aide de la main.

(Par cet exercice, vous travaillez aussi les hanches [abduction et rotation externe]).

Couché sur le côté

Cet exercice vous permet de travailler également les abdominaux transverses, la bascule du bassin et le périnée.

- Allongez-vous sur le côté.
- Placez un pied sur le bord du siège et l'autre jambe sous la chaise. L'angle entre la cuisse supérieure et la colonne est inférieure à quatre-vingt-dix degrés.
- Poussez les fesses vers l'avant et le

1

2

Autour du demi-pont

- Couchez-vous sur le dos.
- Posez les pieds sur le rebord de la chaise, assez près pour ne pas cambrer (1).
- Soulevez le bassin le plus haut possible, le haut du dos creux, la nuque très étirée (2).
- Vous pouvez maintenir un petit ballon entre les chevilles pour ne pas écarter les genoux, ce qui stabilise le bassin et protège les genoux.

Progression

- Refaites l'exercice du demi-pont, mais tendez une jambe et levez-la le plus haut possible (1).
- (Cela vous permettra de travailler également vos fessiers.)
- Une fois en haut, ramenez la cuisse de la jambe tendue vers le ventre, en maintenant le bassin très haut.
- Si vous êtes très souple gardez la cuisse contre le ventre (2) pour dérouler le dos, sinon, repliez le genou (3).
- Faites l'autre côté.

Variantes

AVEC LES ADDUCTEURS EN ROTATION INTERNE DU FÉMUR

• Allongez-vous sur le dos.
• Posez les pieds sur le bord de la chaise.
• Croisez les cuisses, pour travailler les adducteurs (1).
• Soulevez votre bassin (2) le plus haut possible (3) puis redescendez.

(Le fessier de la jambe porteuse est particulièrement sollicité. C'est un travail asymétrique qui vous permettra de faire travailler le côté « faible » en doublant le nombre de répétition de ce côté-là.)

AVEC LES ABDUCTEURS
EN ROTATION EXTERNE DES FÉMURS

- Placez désormais la cheville sur le genoux de la jambe opposée (1).
- Soulevez votre bassin et descendez (2).
- Faites attention à ne pas cambrer. Tenez la bascule du bassin par le périnée.

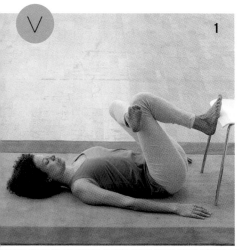

AVEC LES ADDUCTEURS
(FÉMURS PARALLÈLES)

- Allongez-vous sur le dos, les pieds sur le bord de la chaise.
- Placez entre les genoux un petit ballon que vous devez maintenir.
- Soulevez le bassin et descendez.

(Cela sera encore plus efficace pour les fessiers et les adducteurs.)

Le demi-arc

- Couchez-vous sur le ventre.
- Le genou gauche est fléchi à quatre-vingt-dix degrés.
- Le pied gauche repose sur le siège. Le bassin est bien maintenu pour ne pas cambrer.
- Les bras sont allongés devant le corps.
- Fléchissez le genou droit pour amener le pied sur la fesse.
- Attrapez le cou-de-pied droit avec la main droite en continuant à vous étirer à l'aide du bras gauche (1). La jambe droite tire le corps en arrière, le tronc se relève, creusant le haut du dos.

3

- Le genou droit se déplie le plus possible et le pied droit monte vers le plafond (2).
- Attention à bien garder la bascule du bassin ainsi qu'à rester accroché au sol par la main gauche (3).
- Changez de côté.

Variante posture de la danse

- Debout, la chaise appuyée contre un mur par le siège, placez l'avant-bras droit sur le dossier de la chaise.
- Étirez-vous en arrière, les hanches en arrière des pieds, le dos droit.
- Attrapez le cou-de-pied droit avec la main gauche et dépliez le genou en tirant le corps vers le haut.

Le demi-pont, départ assis

Le demi-pont à partir de la position assise sur la chaise est une posture très puissante qui fait beaucoup travailler le haut du dos, les épaules, les fessiers et l'étirement de l'aine.

- Départ assis sur la chaise, au bord du siège, redressez le dos et creusez le haut du dos sans cambrer (1).
- Poussez les fesses en avant et le bassin vers le haut (2).
- Creusez fortement le haut du dos et maintenez la poussée du bassin vers le haut pour ne pas cambrer (3).
- Ne laissez pas la tête partir en arrière et gardez le menton rentré et la nuque étirée.

À genoux devant la chaise

- À genoux devant la chaise, les bras sur le siège, le front posé sur les mains, allongez une jambe en arrière, talon tiré vers le sol.
- Soulevez la jambe arrière, cheville fléchie.
- Attention, pour ne pas cambrer, il faut garder les hanches bien en arrière du genou au sol et ne pas venir en avant.
- Continuez à vous tirer vers l'arrière, haut du dos creux.

pour les athlètes
★

Le pont

Nous avons vu le demi-pont... on peut aller plus loin !

- Allongez-vous sur le dos, la tête légèrement sous la chaise (1).
- Attrapez le siège avec les mains par les côtés.
- Poussez le bassin en avant pour monter le pubis vers le ciel (2).
- Le haut du dos se creuse. Soulevez-le en étirant la nuque.
- Tendez les bras et repoussez-vous vers le haut et vers l'avant (3).
- Revenez en pliant les genoux, les coudes et glissez le bassin vers les pieds.

Les fessiers

Nous allons seulement présenter ici quelques aménagements à partir de postures de gainage.

Bien entendu tout ce qui a été vu au féminin reste valable.

Le seul critère est de ne jamais lâcher le gainage, de ne pas plier au niveau lombaire.

Cela suppose une très bonne extension de l'aine, particulièrement rare chez les hommes qui pratiquent les abdominaux habituels et qui ont souvent les ichio-jambiers très raccourcis.

Tous les demi-ponts font travailler les fessiers. Ils ont été vus à plusieurs reprises.

À partir de la fente

- En équilibre, un pied sur la chaise, un genou plié, attrapez le bas du dossier avec les mains, dos à l'horizontale.
- Tendez la jambe arrière, cheville fléchie.
- Amenez-la dans le prolongement du dos, sans cambrer.

Autour des guetteurs

Guetteur en arrière

Le guetteur en arrière et ses variantes, observées à propos du gainage, travaillent les fessiers.

Lorsqu'il y a un seul appui, une des jambes étant levée ou fléchie, le travail devient asymétrique.

Guetteur en avant

- Soulevez une jambe tendue sans cambrer pour obtenir un puissant travail des fessiers (1).
- Faites le même exercice des pompes avec deux chaises (2).

VARIANTE

- Pieds sur la chaise et mains au sol, mettez-vous en planche puis soulevez une jambe tendue (1).
- Ramenez le pied vers la fesse sans cesser le gainage pour effectuer un travail encore plus puissant (2).

En guetteur tête en bas

- Faites la planche en plaçant vos pieds sur le siège, talons près du dossier, bras tendus (1).
- Ramenez un talon vers la fesse (2).
- Fléchissez les coudes et remontez (3).

Les étirements, les assouplissements

L'étirement représente le principe général de tout le travail présenté dans cet ouvrage. C'est pourquoi nous en avons déjà parlé à propos des différentes zones du corps. Par exemple, l'étirement de l'aine a été abordé à propos du travail des hanches et nombre d'étirements du dos plat, rond, creux, en torsion ont été vus au cours des exercices pour travailler les abdominaux, les épaules ou les fessiers, etc.

Nous développerons ici des séries qui ont pour objectif essentiel **l'étirement de la chaîne musculaire postérieure** (dos, arrière des jambes et des mollets) et quelques étirements latéraux.

....

Assis

Sur la chaise, avec une table

- Devant une table, posez les avant-bras croisés sur la table et la tête sur les mains.
- Reculez la chaise jusqu'à ce que le dos soit bien étiré.
- (Détente assurée après une journée d'ordinateur !)

Les pieds sur la table

- Asseyez-vous sur le bord du siège.
- Posez une jambe sur la table.
- Maintenez votre dos droit.
- Essayez de tendre la jambe de face (1).
- Répétez cet exercice en ouverture, en tendant la jambe sur le côté (gauche, puis droit) (2).

Équilibre fessier

• Toujours en position assise, tendez vos jambes en posant vos talons sur les coins de la table.
• Tenez-vous le dos droit.

Étirement du dos et des jambes

• Assis au bord du siège, posez le mollet sur la table.
• Étirez le dos et plaquez le ventre sur la cuisse.

La grenouille

- Posez sur la table vos pieds plante contre plante.
- Redressez le dos.

(Il y a avec cet exercice, un grand travail de flexion de l'aine et d'ouverture.)

Sans la table

Étirement dos creux

- Assis au bord du siège, les mains derrière le dos posées sur le siège, cherchez à creuser le haut du dos en repoussant le siège avec les fesses.
- Vos coudes sont fléchis, et les épaules basses.

Étirement dos rond à alterner avec le dos creux

L'AIGLE

- Prenez vos épaules dans vos mains.
- Glissez les épaules et les coudes vers le haut et l'avant.
- Appuyez bien les ischions sur le siège.
- Reculez le cou et regardez vers le bas sans baisser la tête.

Debout

Avec la chaise

Utilisez la chaise comme une barre de danse.
• Posez une cheville sur le dossier.
• Tirez les fesses en arrière le plus loin possible, hanches toujours en arrière des talons pour ne pas cambrer.
• Couchez-vous le ventre sur la jambe tendue... ou fléchie ! Les mains sur le talon.

Le pied sur le siège

• Si vous êtes très souple, vous pouvez descendre la jambe plus bas en posant le talon sur le siège.

L'inflexion extrême

• Tendez la jambe sur le côté en posant une cheville sur le dossier.
• Étirez-vous sur le côté et retournez la tête, le regard dirigé vers le ciel.
• Cherchez à faire une inflexion du tronc sans rapprocher les épaules du bassin.
• Les mains embrassent le pied qui est posé.
(L'inclinaison du tronc doit garder l'allongement des deux côtés.)

Étirement de l'aine, flexion de l'aine, étirement des ischio-jambiers

Flexion extrême

- Debout, placez-vous derrière la chaise.
- Posez un pied sur le dossier et pliez le genou de la jambe supérieure.
- Collez bien le ventre sur la cuisse, les mains sur le dossier.
- Tirez l'autre talon au sol et cherchez à le reculer.

Enchaînement

La fente

- Départ pied sur la chaise et les mains sur le dossier, la jambe bien perpendiculaire au siège.
- Reculez l'autre pied jusqu'à ce que l'autre jambe soit totalement tendue et que vous ayez du mal à poser le talon au sol.

La flèche

- Placez le dossier de la chaise contre le mur.
- À partir de la position précédente, posez les mains contre le mur, les bras dans le prolongement du corps pour dessiner une belle flèche.

L'hyperflexion

- Ramenez les mains sur le dossier pour retrouver la position de la fente.
- Repliez le genou arrière pour le poser au plus près de la chaise.
- Remontez, dos droit et faites l'autre côté.
- Il y a une très forte flexion de l'aine d'un côté, et un très fort étirement de l'autre.
- (Si vous êtes petit par rapport à la chaise, mettez un coussin au sol pour pouvoir poser le genou sans être trop déhanché.)

Assis par terre

- Posez les avant-bras croisés sur le siège et la tête sur les mains (1).
- Reculez les fesses autant que possible, progressivement, jambes tendues de chaque côté des pieds de la chaise (2).

Variantes

AVEC OUVERTURE DE HANCHES

On peut varier le positionnement de pieds.

- Par exemple vous pouvez travailler sur l'ouverture de hanche en plaçant une jambe tendue sous la chaise et en écartant une cuisse du bassin, genou fléchi.
- Laissez descendre le genou.

AVEC FLEXION DE HANCHES

- Posez un pied sur le bord de la chaise, jambe fléchie, et prenez les pieds du siège dans vos mains (1).
- Tentez de coller le ventre contre la cuisse, en continuant à vous étirer en reculant les fesses (2).

(La jambe va se tendre progressivement, en fonction de votre souplesse !)

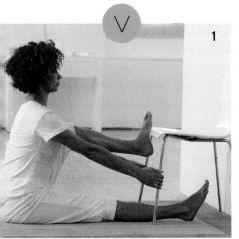

1

2

ASSIS, LES PIEDS CONTRE CEUX DE LA CHAISE

- Vous pouvez aussi partir les pieds et les mains contre ceux de la chaise (1).
- Reculez progressivement, sans arrondir le dos (2).

La pince en élévation

- Assis sur la chaise, un pied au sol, prenez l'autre pied dans vos mains.
- Ramenez une cuisse contre le ventre (1).
- Redressez-vous et essayez de tendre la jambe, coudes vers le haut (2).
- Attention, n'arrondissez pas le dos, grandissez-vous!
- (Si vous n'êtes pas assez souple, gardez le genou fléchi.)

pour les athlètes
★

Les pinces pliées

• Assis devant la chaise, les mains et la plante des pieds sur les pieds antérieurs de la chaise (1), reculez les fesses le plus loin possible (2).

pour les athlètes
★

Les pinces en écart

- Asseyez-vous sur le bord de la chaise.
- Le pied droit dans la main droite, ouvrez la hanche, jambe le plus tendue possible vers la droite.
- Posez l'autre main sur le siège, derrière le dos, pour vous redresser.

Équilibre fessier écart

- Assis sur la chaise, prenez un pied dans chaque main et montez vos jambes en écart en veillant à ce qu'elles soient bien tendues.

Autres exercices d'allongement et tonification du dos

La chandelle

- Couché sur le dos, les pieds sur le siège, fléchissez les hanches à plus de quatre-vingt-dix degrés.
- Soulevez le bassin dans un demi-pont (1) puis placez les mains dans le bas du dos (2).
- Ramenez une jambe tendue vers l'arrière (3).
- Tendez l'autre à la verticale (4).
- Ramenez les deux jambes à la verticale, le dos très droit (5).
- Posez ensuite, un pied au sol derrière la tête, sans vous effondrer, l'autre jambe bien verticale (6).
- Revenez en sens inverse.

3

4   5   6

La charrue athlétique

>

• Vous pouvez poser les deux pieds au sol derrière la tête en gardant la distance épaule-hanche maximum.

pour les athlètes
★

Le «fauteuil renversé»

- Reprenez la position de départ de la chandelle page 156.
- Placez les mains à plat sous le sacrum, coudes serrés, avant-bras verticaux (1).
- Ramenez une jambe à la verticale puis l'autre (2).
- Le bassin repose sur les mains horizontalement, les jambes sont bien verticales (3).
- Le retour s'effectue comme pour la chandelle.
- (La difficulté de cet exercice réside dans le fait que le poids se situe sur les coudes. Le dos est creux sans cambrure et le bassin est posé comme dans un fauteuil.)

Enchaînements toniques

À partir des pompes

• À quatre pattes devant la chaise, placez vos pieds au niveau de ceux de la chaise.
• Tendez une jambe et posez le pied sur le siège, talon contre dossier (1).
• Placez l'autre jambe de la même manière en tenant bien le bassin par du gainage (2).
• Vous pouvez fléchir les coudes et remonter tant que vous ne perdez pas l'unité (3).

L'accent circonflexe

- À partir de la planche (position 2 de la page 159), bras tendus, jambes sur le siège et talons bien vers l'arrière, fléchissez les hanches.
- Tirez les fesses en arrière et tendez les genoux pour vous retrouver en accent circonflexe en équilibre.
- Retour en sens inverse...

Abdominaux et flexion de l'aine

- À partir de la position de l'accent circonflexe, ramenez une cuisse vers le ventre, genou fléchi, sans arrondir le dos.

Le grand écart à l'envers

- À partir de la position « L'accent circonflexe » page 160, tendez une jambe vers le plafond (1).
- Puis revenez en ramenant les deux genoux au plus près du ventre, dos plat (2).

Le pied à la barre

- Debout, placez-vous de côté par rapport à la chaise et posez un pied sur le dossier.
- Descendez le ventre contre la cuisse.
- Posez les mains au sol et gardez le dos droit, quitte à ne pas tendre totalement la jambe porteuse.

Les étirements à deux

Étirement et rappel

- L'un des deux est assis à califourchon face au dossier de la chaise.
- L'autre est assis au sol, dos droit, les hanches très fléchies, les pieds sur ceux du siège.
- Celui sur la chaise part en arrière, le dos rigide, les jambes tendues, comme pour faire du rappel.

(Si la personne au sol est très souple, elle peut reculer les fesses pour tendre les jambes sans reculer les épaules.)

Les étirements à l'équerre

- La personne sur la chaise part en arrière, le dos droit, les jambes tendues et les pieds au sol.
- Tenez-vous par les mains.
- La deuxième s'étire en tirant les fesses en arrière (1).
- Pour aller plus loin et travailler le dos et les abdominaux : la personne qui ne se trouve pas sur la chaise peut ramener une cuisse vers le ventre en continuant à tirer vers l'arrière (2).

(Le dos doit rester droit.)

Relaxation avec la chaise

Pour finir, détendez-vous avec « la posture magique ».

• Allongez-vous sur le dos, les jambes sur la chaise, les fesses
légèrement en dessous pour ne pas cambrer, les mains sous
l'occiput ou les bras le long du corps, laissez-vous planer !

Les exercices imaginaires

Ce chapitre présente une approche originale du travail musculaire. Il s'agit en effet d'imaginer seulement les mouvements, sans bouger, ce qui les rend invisibles à l'entourage.

Des exercices intéressants et efficaces

Intérêt

On peut faire ces exercices n'importe où, discrètement, dès qu'on a un temps mort : au bureau, au restaurant, dans un bus, un avion (très pratique pour maintenir une circulation dans les jambes), une salle d'attente.
N'entraînant aucun mouvement, ils peuvent se faire quand on a un risque de douleur, par exemple si on a mal au dos, après une opération.
Ces exercices sont idéaux pour les jeunes mamans, car ils peuvent se faire le bébé dans les bras ou au sein, ainsi que pour les personnes à mobilité réduite (même dans un fauteuil roulant), les personnes âgées, les gens fatigués, à la musculature affaiblie.

Efficacité

S'ils sont bien réalisés, ils sont *plus efficaces que les mouvements réels*, car il y a une concentration sur le muscle sollicité sans perte d'énergie ailleurs et sans épuisement.
La vascularisation est très importante, celle du cerveau est très augmentée. La fatigue générale et les courbatures sont incomparablement moindres ! Mais la concentration cérébrale est augmentée !
On connaît le principe du travail statique, c'est-à-dire sans mouvement, dans la gymnastique sous plâtre.
L'immobilisation entraîne une fonte musculaire très rapide (à partir de trois jours). Pour éviter de ne plus avoir de muscle quand on va retirer le plâtre, on

demande alors d'imaginer le mouvement, par exemple de ramener l'avant-bras sur le bras pour travailler le biceps. Le seul fait d'envoyer les influx nerveux réalise une contraction du muscle qui maintient ses capacités et son volume.

Par ailleurs, une étude aux États-Unis a porté sur le travail sans mouvement du biceps. Les électroencéphalogrammes et l'imagerie du cerveau ont permis de voir que les mêmes zones étaient vascularisées et stimulées que le mouvement soit réel ou imaginaire. Au bout de trois semaines d'exercices (à raison de quinze minutes par jour), le volume du biceps avait augmenté !

Jusqu'à présent ce travail était reservé aux membres (bras, jambes, etc.) et n'avait pas été proposé pour les abdominaux.

Une étude a été menée sous ma direction par une élève kinésithérapeute belge, Madame Cousin (mémoire soutenu dans la cadre de la Haute école de la province de Liège, 1996), pour tester le travail imaginaire des abdominaux et le comparer au travail réel. Elle a montré que *lorsque l'imaginaire est bien maîtrisé, il est plus puissant que le travail réel.*

Le principe et la pratique

Principe

Il s'agit de faire comme si on réalisait l'exercice, en serrant d'abord le périnée, en expirant réellement tout en visualisant le mouvement.

Pratique

Le patinage

• Assis sur la chaise, pieds à plat, imaginez que vous portez le poids sur un pied et que vous patinez, tantôt un pied tantôt l'autre, mais sans que vos pieds bougent.

Si vous arrivez à visualiser le geste, vous devez sentir un travail dans la cuisse, la jambe, qui part du ventre. Le transverse est là (sur le temps de l'expiration) ainsi que les abdominaux obliques, d'un côté comme de l'autre.

Torsions imaginaires

- Assis sur la chaise, dos droit, penché un peu en avant, faites d'abord une vraie torsion.
- En expirant, faites tourner le bas du ventre, vers la gauche par exemple.
- À chaque expiration tournez un peu plus haut : nombril, taille, côtes, poitrine, puis tête.
- Faites maintenant la même chose en imaginant le mouvement : ne bougez pas mais expirez et pensez que vous tournez, étape par étape, en grandissant toujours.

Si vous palpez vos abdominaux, vous les sentirez se contracter, d'abord en bas (transverse, petits obliques) puis de plus en plus haut (grands obliques). Les côtes vont s'abaisser en arrière et les côtes flottantes se serrer en avant, ce qui va lacer la guêpière et vous faire grandir et mincir.

Quand vous maîtrisez ces mouvements, vous pouvez choisir de travailler, selon vos priorités, surtout le bas ou surtout le haut.

Autograndissement

- Assis sur le bord de la chaise, posez les avant-bras ou les coudes sur une table.
- Expirez et appuyez les ischions sur le siège.
- Imaginez que vous poussez les avant-bras ou les coudes sur la table pour vous grandir.

Palpez les bras, le dos, les abdominaux, vous constaterez un travail dans chaque partie.

Autres exercices pour les abdominaux grands droits

- Assis au bord de la chaise, dos droit, posez vos mains sur le siège derrière le dos.
- Imaginez que vous ramenez un genou vers la poitrine, en expirant.

Vous sentirez le travail de la cuisse mais aussi des abdominaux transverses et droits.

Vous pouvez augmenter le niveau en le faisant avec les deux jambes en même temps.

Si vous partez avec une jambe allongée, l'autre fléchie, le travail des muscles de la cuisse sera plus fort pour remonter la jambe allongée.

Ce travail est particulièrement intéressant pour les gens qui n'ont plus assez de force musculaire, pour mobiliser réellement leurs jambes, par exemple.

Épaules

- Assis, posez les mains sur les genoux ou les avant-bras sur une table.
- Imaginez en expirant que vous levez un bras soit devant le visage, soit sur le côté, coude fléchi ou bras tendu, au choix.

Palpez vos biceps et triceps (muscle situé à l'arrière du bras). Sentez le travail et la circulation du sang dans l'épaule.

- Ensuite, imaginez que vous resserrez les bras contre le corps mais qu'il y a par exemple un ballon sous votre aisselle qui résiste...

Bras, pectoraux, abdominaux

- Assis dos droit, ramenez le bras devant vous, coude fléchi.
- Positionnez la main au niveau du sternum, ou posez l'avant-bras sur la table, coude fléchi, la main arrivant en regard du milieu de la poitrine (entre les deux seins).
- Imaginez que vous repoussez un obstacle avec votre main, poignet fléchi ou que vous poussez les deux mains l'une contre l'autre, en expirant.

Autres exercices :

- Placez vos coudes sur la table et imaginez un bras de fer en simulant la résistance d'un partenaire imaginaire.

Palpez les bras, les pectoraux, les abdominaux, en particulier le transverse et les obliques.

Cuisses

- Assis, les pieds parallèles, écartez les jambes de la largeur du bassin.
- Imaginez que vous voulez rapprocher les jambes, mais que quelque chose s'oppose, ou retient vos genoux.
- Expirez.

Palpez vos adducteurs et vos abdominaux.

Équivalent à quatre pattes : abdos, fessiers

- Debout, les avant-bras posés sur le dossier de la chaise, le front sur les mains, reculez les fesses le plus loin possible, hanches en arrière des talons. Le dos est plat ou creux.
- Imaginez que vous ramenez une cuisse le plus près possible du ventre, sans rien changer dans le dos, en expirant.
- Sentez vos abdominaux, votre cuisse.
- Soulevez imaginairement une jambe tendue en arrière, cheville fléchie.

Sentez vos fessiers.

On peut imaginer tous les mouvements (mais pas les étirements).

Vous pouvez donc vous amuser à reprendre les principaux exercices de renforcement musculaire, les faire réellement et ensuite les refaire en les imaginant, ce qui vous permettra un travail discret n'importe où.

Le travail en contre-résistance imaginaire est très riche et très intéressant car il ne fait pas travailler que les muscles actifs pour le mouvement, comme lorsqu'il y a une vraie résistance ou un vrai mouvement. Dans ce dernier cas, les muscles antagonistes vont devoir se détendre pour permettre la contraction des muscles sollicités.

Faites l'expérience : contractez votre biceps, en ramenant votre avant-bras sur le bras. Le biceps est « en boule », raccourci, mais les muscles à l'arrière du bras sont détendus.

Immobilisez votre bras en allongement, en retenant votre main, par exemple sous votre table. Votre biceps se gonfle un peu, durcit, mais ne se raccourcit pas. Les muscles antagonistes sont relâchés.

Maintenant, imaginez seulement qu'on retient votre main. Votre biceps fait la même chose que lors du dernier exercice mais les antagonistes (triceps) ont aussi durci sans se raccourcir !

En effet la résistance est faite par les muscles antagonistes. Il y a donc un gainage total, une vascularisation maximale, sans épuisement, sans contracture ni douleur.

Ainsi, les résistances imaginaires pour les abdominaux vont faire travailler les muscles du dos en même temps (équilibre des bretelles !). Rendement maximum ! Ce travail renforcera l'unité du corps et la stabilité vertébrale.

De même pour les jambes vous aurez aussi plusieurs groupes de muscles qui vont travailler, par exemple adducteurs et abducteurs... On a les deux pour le prix d'un, en toute discrétion.

seconde partie

2

choix d'exercices pour les grandes fonctions du corps

Au-delà de l'action musculaire, par les exercices présentés ci-après vous stimulez aussi les fonctions vitales telles que la respiration, la digestion ou encore la circulation du sang (jusque dans le cerveau) et la relaxation.

La respiration

Ressentir la respiration physiologique spontanée et faire le lien avec la position étirée sans tension est essentiel pour pouvoir rechercher et retrouver cette fonction à tout moment et aussi dans les efforts.

....

« La posture magique »

- Allongez-vous sur le dos devant la chaise.
- Placez vos jambes sur le siège et vos fesses légèrement en dessous pour que l'angle fémurs-colonne vertébrale soit inférieur à quatre-vingt-dix degrés.
- Au besoin, placez un petit oreiller ou vos mains sous l'occiput (la bosse du crâne) et non sous la nuque.
- Observez votre respiration. Vous verrez que le ventre est détendu et que le mouvement respiratoire descend jusqu'au bas du ventre, sans que vous ayez à intervenir.

C'est une « posture magique », qui détend. En quelques minutes vous effacez toutes les tensions depuis la nuque, le haut du dos, les reins, jusqu'au bas du dos.

Quand vous êtes fatigué, au lieu de vous avachir dans le canapé, ce qui ne vous détendra pas, restez dix minutes dans cette position. Même avec une vraie sciatique, ou un lumbago, cela soulage énormément et enlève les contractures.

Si vous avez des ballonnements, le ventre tendu, des troubles du transit c'est aussi très efficace pour détendre et réguler.

Les jambes lourdes sont évidemment drainées.

C'est la *position idéale pour la relaxation*.

À tester

- Éloignez un peu la chaise, de façon que l'angle cuisse-tronc soit supérieur à 90 ° et observez.
- le dos n'est plus à plat ;
- vous êtes cambré ou obligé de vous contracter pour ne pas cambrer ;
- la respiration « monte » au niveau des côtes, il n'y a plus de détente.

Équivalent à quatre pattes

Une autre manière de trouver naturellement la respiration abdominale est d'être dans un étirement «ventre dans le vide ».
• Posez vos avant-bras sur la table, le front sur les mains.
• Reculez la chaise jusqu'à ce que le dos soit bien étiré. Vous ne risquez pas la cambrure.
• Le dos doit être plat ou creux, mais pas rond.
• Contractez le périnée et expirez lentement comme si vous nagiez et que vous souffliez dans l'eau. Vous sentirez vos abdominaux se serrer comme une ceinture, et votre ventre rentrer tout seul.
• Quand vous êtes au bout de l'expiration, ouvrez la bouche et laissez entrer l'air. Le diaphragme descend et l'air entre, le ventre se détend. L'amplitude est très importante, le massage viscéral aussi.
Il n'y a aucun risque de faire descendre les organes ni de pousser sur le périnée puisque vous êtes à l'horizontale et que le diaphragme remonte lors du serrage abdominal (voir, dans l'introduction, l'encadré « Les parois sont déformables »).
Tous les exercices proposés étant des allongements de la colonne, la respiration devrait toujours se placer ainsi avec un mouvement dans le bas du ventre. Il est intéressant de contrôler ce mouvement.
Tous les efforts de la vie quotidienne et tous les exercices proposés dans ce livre se feront sur une expiration, sans inspiration préalable, à partir de la remontée du périnée.

Les fausses inspirations thoraciques « FJT »

Les « FIT »sont une application particulière de la maîtrise respiratoire.

Assez simples à réaliser, elles sont souvent utilisées dans les exercices de ce livre pour amplifier la mobilisation du diaphragme, des côtes, du périnée et augmenter le drainage, le massage viscéral. Le travail des abdominaux se fait sans pression.

Le principe est simple : après une expiration allongée, on ferme la bouche, et le nez éventuellement en se pinçant les narines avec la main (on peut aussi simplement fermer la glotte en rentrant le menton et en reculant le cou) et on fait « semblant » d'inspirer dans la poitrine, comme lorsqu'on renifle ou qu'on fait des respirations en levant les bras et en remontant la poitrine.

Comme l'air ne peut rentrer il s'ensuit une ascension de la poitrine et une dépression dans l'abdomen. Le ventre se creuse complètement, tous les organes sont remontés, le périnée aussi.

Cet exercice est contre indiqué en cas d'insuffisance cardiaque et respiratoire, ou d'hypertension. Il peut déclencher des douleurs soit au niveau des côtes ou du diaphragme. Dans ce cas cela prouve qu'il y a des blocages et qu'il faut progresser dans ce sens, s'il y a des douleurs au ventre au niveau d'une cicatrice, cela révèle la présence d'adhérences (des tissus sont « collés » entre eux au niveau des cicatrices) et cela peut conduire à un contrôle des cicatrices intérieures. Si ce n'est pas trop douloureux, l'exercice fait progressivement, peut permettre de faire glisser les tissus les uns par rapport aux autres. Un côlon encombré peut être aussi douloureux... mais tirez bénéfice de ce massage pour activer le transit !

Si d'autres problèmes se présentaient, n'insistez pas et essayez d'en parler à un professionnel qui puisse interpréter cette douleur (kinésithérapeute, médecin...)

La digestion

Les exercices proposés vont permettre de travailler sur l'estomac et le côlon.

....

Estomac

Les reflux œsophagiens sont augmentés par une posture tassée qui comprime l'estomac. Savoir se redresser, ouvrir les côtes et retrouver la respiration abdominale libèrent particulièrement.
Les postures « dos creux » dégagent la zone épigastrique.
Le stress augmente les maux d'estomac : pouvoir mobiliser le diaphragme est la clef de la détente du « nœud » dans l'estomac.
Les postures d'ouverture des côtes sont à privilégier, ainsi que la « posture magique » (voir le chapitre « La respiration »).

Ouverture du plexus

• Assis mains derrière le dos, coudes fléchis et serrés, creusez le haut du dos au maximum en appuyant bien les ischions sur la chaise pour ne pas cambrer (1).

Fausse inspiration thoracique « dos creux »

• Les coudes sur la table, poussez dessus à la fin de l'expiration pour faire remonter la poitrine et creuser le haut du dos.
• Appuyez les ischions sur la chaise. Ne levez pas les épaules et gardez la nuque allongée (2).

Autre exercice
• Asseyez-vous au sol et appuyez le haut du dos sur le siège. Les fesses sont légèrements sous la chaise.
• Attrapez les pieds arrière avec les mains et redressez-vous (3).

Côlon

La respiration abdominale, les torsions et les étirements laté-raux soulageront vos problèmes de constipation, vos douleurs intestinales ou vos ballonnements.
Voici quelques postures déjà étudiées à privilégier.

Dos creux : la grenouille

- Joignez vos mains au-dessus de la tête.
- Laissez descendre vos coudes vers le sol sans forcer et sans ouvrir vos mains.
(L'exercice pourrait se faire en ouvrant les cuisses, pieds joints posés sur le tranchant du siège.)

Torsion en position assise

- Asseyez-vous de face, attrapez le siège avec vos mains.
- Cherchez à amener les épaules à quatre-vingt-dix degrés du bassin, en expirant et en vous grandissant.

Torsion en position assise, bras levés

- Le ventre sur les cuisses, passez l'épaule opposée à l'extérieur d'un genou.
- Levez l'autre bras vers le plafond sans tirer dessus.
- En expirant, faites tourner le haut du buste et la tête, nuque étirée.

Étirement latéral

- Tendez la jambe en posant une cheville sur le dossier.
- Étirez-vous sur le côté.

La circulation

Notre état de « bipède » complique la circulation sanguine surtout par rapport au retour veineux lors des stations assises statiques. Si vos genoux sont en dessous
des hanches, le sang descend jusqu'aux pieds et fait
gonfler les jambes et se dilater les veines. Il faut donc
aménager le siège pour diminuer ces effets.

Principe de base

Il ne faut jamais être tassé, avachi, ni cambré. Cela bloque le
diaphragme et empêche la respiration abdominale, élément
essentiel de la circulation sanguine et en particulier du retour
veineux (le diaphragme est une pompe).

1

2

3

- Aménager la position pour que les hanches soient très légèrement au-dessous des genoux, afin de ne pas avoir tout le sang dans les jambes mais une bonne circulation dans le bassin et l'abdomen ainsi qu'une respiration libre qui masse et fait circuler le sang (voir le siège à l'égyptienne dans l'introduction, « Une bonne posture assise »).

Il faut souvent un petit banc sous les pieds ou un support pour les réhausser et ne pas s'appuyer sur le dossier (1), mais se pencher plutôt en avant, les coudes sur la table (2), avec ou sans repose-pieds.

Le ballon est un bon siège qui permet la mobilité et évite d'être en arrière ! (3)

Les exercices toniques

Ces exercices stimulent le retour veineux, la musculation des jambes, le renforcement de la stabilité des genoux et des chevilles.
- Placez-vous debout devant la chaise.
- Posez un pied sur le siège.
- Fléchissez le genou de la jambe d'appui comme pour vous asseoir dans le vide (1).
- Maintenez le dos droit.
- Tendez le genou et montez sur la pointe des pieds (2).

- Redescendez plusieurs fois jusqu'à sentir le travail dans les muscles des jambes.

En détente

- Couchez-vous au sol, les fesses légèrement sous la chaise, une jambe sur le siège.
- Ramenez une cuisse vers le ventre, maintenue éventuellement par la main sous le genou, afin de ne pas faire un mauvais travail des abdominaux.
- Faites des cercles de chevilles, des mouvements de flexion-extension des chevilles et massez votre jambe de haut en bas pour activer le retour veineux.

Toutes les postures inversées, demi-pont, chandelle, les postures de drainage, ou de la fausse inspiration thoracique vues dans les chapitres précédents ainsi que le travail des abdominaux et des fessiers activent aussi beaucoup la circulation.

Le fonctionnement périnéal

Le périnée, ensemble de muscles situés en dessous de l'abdomen, sert à plusieurs fonctions.

....

Fonction de soutien des organes pour empêcher les « descentes d'organe » (vessie, utérus et rectum). Cette fonction est assurée par le plan profond du périnée, à l'intérieur du vagin ou du rectum.

Fonction de continence non seulement urinaire mais aussi continence pour les gaz et les selles, à travers les sphincters et le muscle de la retenue (pubo-rectal) .

Fonction sexuelle, par la sensibilité et la contractilité (orgasme).

Accouchement, son élasticité doit permettre la descente et la sortie du bébé.

Comment travailler le périnée?

L'exercice de base appelé parfois exercice de Kegel, du nom d'un médecin qui a développé ce travail dans les années 1945 aux USA, consiste à faire un effort de retenue comme pour stopper un besoin d'uriner, un gaz, des selles. On l'a aussi baptisé le « pipi stop ». Dans ce cas on commence une miction et on tente d'arrêter le jet par une contraction du périnée (du muscle pubo-rectal pour être précis).

Il ne faut pas utiliser le « pipi stop » régulièrement comme exercice car il n'est pas logique d'arrêter la contraction du muscle de la vessie une fois que la miction est commencée. La vessie ne va pas bien se vider, ce qui est source d'infection et de dysfonctionnement à terme. On peut néanmoins s'en servir comme premier « repérage » de la possibilité de contraction et de détente.

Cette contraction, rapide, brève, très vite épuisée, aide les sphincters en cas de pression subite ou s'il y a « débordement » par exemple en cas de diarrhée, ou de vessie trop pleine, de pression abdominale violente (l'éternuement par exemple).

Travailler le périnée, c'est le contracter mais aussi le détendre, parfois l'étirer dans des directions variées, pour augmenter son élasticité.

C'est surtout le protéger des poussées dues à la pesanteur, aux efforts, à la constipation, aux exercices abdominaux mal faits.

Tous les efforts, tous les changements de position devraient s'effectuer sur une expiration qui commence par la contraction du périnée ce qui le remonte, dirige les forces de poussées vers le haut, limite la pression par la remontée du diaphragme (voir introduction).

On laisse le périnée redescendre pour inspirer, sans jamais pousser. Tous les exercices proposés font donc travailler la contraction et la détente du périnée.

Par ailleurs le périnée ne fonctionne pas tout seul mais avec le diaphragme, les abdominaux, les fessiers, les muscles des cuisses... Un travail cohérent doit être global.

En associant le périnée à la respiration selon les principes de la méthode A.P.O.R.B. de Gasquet nous le ferons travailler dans diverses situations de raccourcissement, étirement, contraction, détente, stabilisation...

Pour faciliter la prise de conscience, les postures utilisant les fessiers et les rotateurs externes des fémurs seront utiles. Ces muscles sont synergiques du pubo-rectal, c'est-à-dire que celui-ci est entraîné même si on est incapable de le contracter volontairement.

Il y a en effet des périnées qui « ne bougent pas » quand on leur demande une contraction. Je ne rentrerai pas ici dans les explications des dysfonctionnements ni leur cause, ce n'est pas le propos, mais on peut par les postures faciliter les perceptions.

La détente sera plus sensible dans les postures à « l'envers » qui allègent le périnée.

Vous verrez enfin que certaines postures, selon la façon dont elles sont faites peuvent renforcer la contraction ou la détente !

La prise de conscience et la localisation sont plus faciles en position assise, avec un contact sur les ischions (voir « Les principes de base » en introduction).

Exercices

La contraction et la détente assis sur la chaise

L'effort de retenue va entraîner une sensation d'appui des ischions sur le siège, de remontée de la musculature entre les ischions. Ne confondez pas avec les fessiers. Pour cela, faites la comparaison en contractant les fessiers, vous vous soulevez sur la chaise, ce qui n'est pas le cas si le périnée agit seul. Le bas du ventre va rentrer légèrement, mais les abdominaux grands droits restent détendus.

Si vous expirez en partant du périnée et en remontant progressivement le diaphragme, le périnée doit aussi « remonter ». Quand vous vous détendez pour inspirer, il redescend. Ne poussez jamais dessus.

Si vous augmentez la mobilité du diaphragme en lui permettant de remonter plus par l'autograndissement, vous augmentez la mobilité du périnée et donc son élasticité.

Les « fausses inspirations thoraciques » vont dans ce sens. Elles rajoutent un drainage très bénéfique, en particulier pour les hémorroïdes et, par le massage intestinal, elles améliorent le transit. Or la constipation est source de pressions sur le périnée… on a donc toutes les raisons de faire largement ce travail.

La remontée du périnée va entraîner la contraction réflexe du plan le plus profond qui est essentiel pour le soutien des organes et pour lutter contre les descentes d'organes.

L'exercice agit sur les ligaments de suspension, ce qui n'est pas possible par d'autres voies.

Travail d'élasticité, les FJT (voir p. 175)

Travail de renforcement du périnée par les rotateurs externes des hanches et les fessiers

Tous les exercices qui renforcent les fessiers ont une action synergique et facilitent la sensation de fermeture, même dans les cas où la contraction volontaire est mal ressentie.

EXERCICE PRIVILÉGIÉ : LE DEMI-PONT

• Couchez-vous sur le dos.
• Posez vos pieds sur le bord du siège.
• Étirez bien votre nuque.
• Soulevez votre bassin le plus possible, sans vous cambrer.

VARIANTE

Cette variante est plus puissante pour les rotateurs. Elle est asymétrique et permet de travailler le côté faible des fessiers et du périnée. (Voir p. 133)

L'ouverture du bassin asymétrique a les mêmes effets. (Voir exercices p. 109, 71)

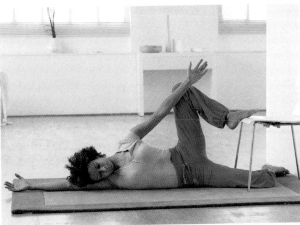

L'ouverture du bassin en contre résistance permet aussi ce renforcement. (Voir exercice « Contre résistance » p. 107)
• Ici ce sont les bras qui résistent au rapprochement des genoux.

1

La détente

Les postures en adduction ou rotation interne des fémurs détendent le périnée... ou pas !

Si vous contractez le périnée pour démarrer le serrage des genoux contre la résistance des mains vous verrez qu'il est très difficile de garder la contraction. (1)

De même en serrant le ballon entre les genoux (2)...mais nous allons voir que tout peut être différent selon la façon dont on réalise l'exercice.

Pour détendre, partez du périnée puis concentrez-vous sur le serrage des genoux, c'est-à-dire allez directement du périnée aux genoux.

Vous constaterez l'impossibilité de garder la contraction du prérinée en serrant ainsi les genoux.

Renforcement

Cependant vous pouvez travailler autrement.

- Partez du périnée mais resserrez progressivement du périnée vers les genoux, de proche en proche en rapprochant les cuisses l'une de l'autre depuis la racine des cuisses vers le milieu pour finir aux genoux. Ce travail s'appelle du « proximal vers le distal ». Le proximal est le périnée, le distal les genoux.
- Idem pour le demi-pont avec le ballon entre les genoux.

(Voir exercice p.130)

La détente par la déchargee

Les postures inversées déchargent le périnée, ce qui entraîne sa détente.

CHANDELLE (voir exercice p.157)

CHARRUE (voir exercice p.157)

ACCENT CIRCONFLEXE (voir exercice p.160)

LE DEMI-PONT
Cette position est un cas particulier très intéressant. (Voir exercice p.42-43.)
À la montée, le travail des fessiers entraîne la contraction du périnée alors qu'à la descente la détente des fessiers et l'effet d'aspiration du diaphragme entraînent la remontée passive du périnée qui « s'ouvre » vers l'intérieur. Certaines femmes vont ressentir une entrée d'air dans le vagin à ce moment-là, ce qui est le reflet de cette aspiration.

Vous pouvez ainsi observer que le périnée dépend de la posture...

Nous avons présenté le périnée à travers des photos féminines car les éventuels problèmes sont surtout féminins et les perceptions sont plus nettes, en particulier la détente. Mais le périnée est très important aussi chez les hommes. Nous l'avons surtout utilisé ici pour maintenir le gainage, pour stabiliser les équilibres et vous pourrez apprécier à quel point c'est efficace.

En réalité c'est le fondement, la base de tout !
Passant de longues heures sur notre fondement, nous pouvons nous occuper de lui avec notre chaise.

Modèles

Merci à nos deux modèles et néanmoins athlètes, Sharon Jacobs et Sandro Zatta.

Shopping

Valérie Weill

Merci à Habitat pour le mobilier.
Merci à Décathlon pour les tenues.

Imprimé en Espagne par Estella Graficas
Dépôt légal : avril 2013
ISBN : 978-2-501-08662-2
4130860/01